Les Simplissimes
Cuisine thaïlandaise

p

Sommaire

Introduction

Les amateurs de cuisine thaïlandaise vous le diront : cette cuisine unique se distingue de celle de ses voisins, bien qu'elle ait aussi intégré quelques influences étrangères. Ses caractéristiques résultent du climat et de la culture locale, mais aussi des siècles d'invasions et d'émigration qui ont joué un rôle important dans l'évolution de cette cuisine. Les racines de la nation thaïe remontent au premier siècle, à l'époque de la dynastie chinoise des Han. Les T'ai occupaient des terres au sud de la Chine, le long d'importantes routes marchandes entre l'Orient et l'Occident. Ils entretenaient alors des relations proches mais souvent conflictuelles avec les Chinois, ce qui les poussa à émigrer vers le Sud, (aujourd'hui le Nord de la Thaïlande), aux frontières du Cambodge et de la Birmanie, territoire qui n'était occupé que par quelques tribus bouddhistes et hindoues.

Cette émigration aboutit à la fondation par les T'aïs du royaume indépendant du Sukhothai (« l'aube du bonheur »), qui devint ensuite le Siam. Les portes du Siam gardaient l'accès à une importante route marchande et les navires venus d'Europe et du Japon faisaient halte dans les ports côtiers ou remontaient les fleuves, apportant marchandises, thés, épices, soie, céramique et cuivre. Les Portugais introduisirent le piment, au XVIe siècle, dans cette région où la plante prospéra. Le commerce avec les Arabes et Indiens était aussi très important et nombre de musulmans élurent domicile au Siam.

Le royaume du Siam survécut jusqu'au XXe siècle et, en 1939, devint la monarchie constitutionnelle de Thaïlande.

La Thaïlande est toujours marquée par les influences des siècles pendant lesquels les cultures se sont mêlées. Les Thaïs sont un peuple indépendant, fier, créatif et passionné. Leur amour de la vie transparaît dans la manière dont ils apprécient la nourriture et le divertissement.

Ils adorent manger, à toute heure, et les rues des villes sont jalonnées de vendeurs ambulants qui proposent d'innombrables mets plus savoureux les uns que les autres. Ils adorent les fêtes et leurs plats sont colorés, sophistiqués et préparés avec le plus grand soin car ils manifestent un profond respect des coutumes et des traditions. Les convives sont régalés de défilés de plateaux chargés de mets de toutes sortes, de fruits exotiques et de bière thaïe ou de whisky local. Quand on sert un repas, tous les plats sont apportés en même temps, pour que le cuisinier ou la cuisinière puisse apprécier le repas en même temps que ses invités.

La présentation, constituée de décors raffinés de légumes sculptés, fait la fierté des Thaïlandais. Ce savoir-faire tient une place prépondérante dans la culture thaïe et montre un amour profond des belles choses.

En Thaïlande, la vie quotidienne est réglée sur le changement des saisons, ponctué par les récoltes et les caprices de la mousson. Les Thaïs prennent la nourriture très au sérieux, choisissant les légumes avec le plus grand soin, afin qu'ils soient le plus frais possible, et mariant avec art les saveurs délicates et les textures. Le riz est l'aliment essentiel, omniprésent à chaque repas, de même que la noix de coco, utilisée sous toutes ses formes. Les grands classiques de la cuisine thaïe varient souvent d'une région à l'autre car chaque cuisinier a sa manière de tirer le meilleur des aliments locaux.

Les bases de la cuisine thaïlandaise

Les ingrédients de base sont la noix de coco, le citron vert, l'ail le piment, le riz, l'ail, le lemon-grass, le gingembre et la coriandre, avec lesquels vous pouvez créer nombre de plats typiques.

La liste des ingrédients est assez longue dans un certain nombre de recettes, mais les méthodes utilisées sont à la portée du plus inexpérimenté des cuisiniers amateurs.

Le principe de la cuisine thaïe réside dans l'harmonie entre cinq saveurs : amère, acide, piquante, sucrée et salée. Ces saveurs doivent être mariées dans un plat et l'ensemble de mets, chacun contribuant ainsi à l'équilibre parfait du repas.

Le basilic

Les Thaïs utilisent trois types de basilic doux, mais la variété présente en Occident peut convenir. Des épiceries asiatiques vendent des graines de basilic thaï, que vous pourrez faire pousser vous-même.

Les piments

Il existe plusieurs variétés, de la plus douce à la plus piquante. Les petits piments « oiseau » verts ou rouges, très utilisés sont très forts. Si vous souhaitez un goût plus subtil, épépinez-les. Les rouges sont plus sucrés et plus doux que les verts et les gros piments sont plus doux. Les piments séchés écrasés sont souvent pour relever et décorer le plat.

Le lait de coco

Il est obtenu en râpant et en pressant la chair de noix de coco fraîche. Il est vendu en boîte, sous forme de poudre déshydratée ou en briques. La crème de coco correspond à la partie plus épaisse et plus riche située sur le dessus du lait.

La coriandre

Une herbe aromatique fraîche, au goût piquant d'agrume, très utilisée. Essayez d'en trouver avec la racine.

Le galanga

De la famille du gingembre, il a un goût plus aromatique et plus doux. Vendu frais ou séché.

L'ail

Utilisé entier, haché, coupé en rondelles ou émincé pour donner de la saveur aux plats et aux currys. L'ail au vinaigre est surtout utilisé en garniture.

Le gingembre

Frais, il est pelé et râpé, haché ou coupé en rondelles pour un goût chaud et épicé.

Les feuilles de lime (kafir)

Elles ont un parfum de citron vert et s'achètent fraîches, séchées ou surgelées.

Le lemon-grass

Une plante aromatique au parfum similaire à celui du baume de citron. Retirez les feuilles extérieures et coupez le reste en rondelles ou écrasez-le et utilisez-le entier. Le lemon-grass est aussi disponible déshydraté, en poudre.

Le sucre de palme

C'est un sucre roux non raffiné tiré du cocotier et vendu en blocs. Réduisez-le en poudre à l'aide d'un maillet ou d'un rouleau à pâtisserie. La cassonade peut être un substitut.

Le vinaigre de riz

Utilisé pour assaisonner et aromatiser les plats, il peut être remplacé par du vinaigre de xérès ou de vin blanc.

La sauce de soja

La sauce de soja claire et la sauce épaisse sont utilisées dans l'assaisonnement. La claire, plus salée, est surtout utilisée pour les sautés ou les viandes blanches, la sauce épaisse apporte de la couleur et un goût plus riche aux viandes rouges braisées.

La pâte de tamarin

Souvent vendue en bloc, elle est utilisée pour apporter une touche aigre-douce. Faites-la tremper 30 minutes dans de l'eau chaude, pressez-en le jus et jetez la pulpe et les graines.

La sauce de poisson thaïe

Préparée à base de poisson salé et fermenté, elle est utilisée à la place du sel dans l'assaisonnement pour son goût intense et unique.

LÉGENDES

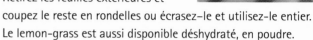 Niveau de difficulté 1 à 3 (du plus facile au plus difficile)

 Temps de préparation

 Temps de cuisson

Soupe thaïe aux fruits de mer

Pour cette recette, préférez de la purée de piment, cela vous permettra de doser la quantité selon les goûts.

VALEURS NUTRITIONNELLES

Calories	132	Glucides	. . . . . .16 g
Protéines	. . . . . .20 g	Lipides	. . . . .2 g
Acides gras saturés. . . . . . . 0,1 g			

10 à 15 min   25 min

4 personnes

I N G R É D I E N T S

1,2 l de bouillon de poisson

1 branche de lemon-grass, coupée en deux

zeste d'un demi citron vert ou une feuille de lime kafir

4 à 6 oignons verts, émincés

2,5 cm de gingembre frais, pelé et coupé en tranches

¼ de cuil. à café de purée de piment, à son goût

200 g de grosses crevettes crues, décortiquées

250 g de noix de Saint-Jacques (16 à 20 pièces)

2 cuil. à soupe de coriandre hachée

sel

piment rouge haché ou émincé

1 Verser le bouillon de poisson dans une casserole avec le lemon-grass, le zeste de citron vert ou la feuille de lime, le gingembre et la purée de piment. Porter à ébullition et baisser le feu. Couvrir et laisser mijoter 10 à 15 minutes.

CONSEIL

Vous pouvez utiliser un bouillon de poulet léger. Le goût en sera légèrement différent mais tout aussi délicieux.

2 Couper les oignons verts en deux puis les trancher finement en biais. Couper les crevettes dans la longueur en s'arrêtant avant la queue.

3 Filtrer le bouillon et le reverser dans la casserole. Laisser frémir. Ajouter les oignons verts et cuire 2 à 3 minutes. Saler si nécessaire, ou selon son goût et ajouter éventuellement un peu de purée de piment.

4 Pocher les noix de Saint-Jacques et les crevettes 1 minute dans le bouillon jusqu'à ce que les noix deviennent opaques et que les crevettes rosissent.

5 Ajouter la coriandre hachée et verser la soupe dans des bols préchauffés en répartissant uniformément les fruits de mer. Décorer de piment rouge haché ou émincé.

Soupe de poulet à la noix de coco

Cette recette marie délicatement épices et coriandre fraîche. Ce contraste de saveurs crée ainsi l'originalité de cette soupe délicieuse.

VALEURS NUTRITIONNELLES

Calories ....76 Glucides ....5 g
Protéines ......13 g Lipides ....1 g
Acides gras saturés. . . . . . . 0,1 g

 15 min   🕐 40 à 45 min

4 personnes

INGRÉDIENTS

1,2 l de bouillon de poulet

200 g de blanc de poulet, sans peau

1 piment frais, coupé en deux et épépiné

7,5 cm de tige de lemon-grass, coupé en bâtonnets

3 à 4 feuilles de lime

1 morceau de gingembre de 2,5 cm, pelé et émincé

120 ml de lait de coco

6 à 8 oignons verts, coupés en biais

¼ de cuil. à café de purée de piment, à son goût

sel

feuilles de coriandre fraîche, en garniture

1 Verser le bouillon dans une casserole avec le poulet, le piment, les feuilles de lime, le lemon-grass et le gingembre. Baisser le feu avant ébullition. Couvrir et laisser mijoter 20 à 25 minutes, jusqu'à ce que le poulet soit bien cuit et ferme au toucher.

2 Retirer le poulet de la casserole et filtrer le bouillon. Une fois que le poulet a légèrement refroidi, le couper en fines lamelles ou en bouchées.

3 Reverser le bouillon dans la casserole et faire frémir. Ajouter le lait de coco et les oignons verts. Ajouter le poulet et laisser mijoter 10 minutes, jusqu'à ce que la soupe soit chaude et que les arômes soient bien mélangés.

4 Incorporer la purée de piment à la préparation puis saler selon son goût. Ajouter de la purée de piment si nécessaire.

5 Verser dans des bols préchauffés, garnir de feuilles de coriandre fraîche et servir.

CONSEIL

Une fois que le bouillon s'est imprégné des arômes et que le poulet est cuit, la préparation de cette soupe est rapide. Vous pouvez pocher le poulet et passer le bouillon à l'avance. Conservez-les au réfrigérateur.

Soupe froide à la coriandre

Cette délicieuse soupe froide constituera une excellente entrée. La coriandre ajoute une touche de fraîcheur et se marie parfaitement avec les légumes.

VALEURS NUTRITIONNELLES

Calories ....79 Glucides ......18 g
Protéines ....3 g Lipides ....3 g
Acides gras saturés. ...... 0,1 g

 10 min   35 à 40 min

4 personnes

I N G R É D I E N T S

2 cuil. à café d'huile d'olive

1 gros oignon, finement haché

1 poireau, finement émincé

1 gousse d'ail, finement émincée

1 litre d'eau

4 cuil. à soupe de riz blanc

1 courgette, pelée et hachée (environ 200 g)

5 cm de lemon-grass, coupé en morceaux

2 feuilles de lime kafir

60 g de coriandre fraîche (feuilles et tiges tendres)

purée de piment (facultatif)

sel et poivre

poivron et/ou piment rouge, finement haché,
   pour décorer

1 Chauffer l'huile dans une casserole à feu moyen. Ajouter l'oignon, le poireau et l'ail. Couvrir et cuire 4 à 5 minutes, en remuant fréquemment, jusqu'à ce que l'oignon commence à fondre.

2 Ajouter l'eau, la courgette et le riz. Saler et poivrer. Ajouter le lemon-grass et les feuilles de lime. Porter à ébullition et baisser le feu. Laisser mijoter à couvert 15 à 20 minutes jusqu'à ce que le riz soit bien cuit.

3 Ajouter la coriandre et cuire encore 2 à 3 minutes jusqu'à ce que les feuilles aient réduit. Retirer le lemon-grass et les feuilles de lime.

4 Laisser la soupe refroidir légèrement puis mouliner jusqu'à obtention d'un mélange homogène. Opérer en plusieurs fois si nécessaire. (Au mixeur : passer la soupe au chinois, réduire les éléments solides en purée avec un peu de liquide et mélanger de nouveau le tout.)

5 Transvaser la soupe dans un grand récipient. Saler et poivrer si nécessaire. Couvrir et réserver au frais avant de servir.

6 Pour une soupe plus épicée, rajouter de la purée de piment et de l'eau glacée pour une soupe moins épaisse. Servir dans des bols refroidis et décorer de poivron et/ou piment rouge.

Soupe de poisson à la thaïlandaise

Cette savoureuse soupe est aussi connue sous le nom de Tom Yam Gung. Vous pouvez trouver la sauce tom yam déjà préparée dans les épiceries asiatiques.

VALEURS NUTRITIONNELLES

Calories . . . . . . .230 Glucides . . . . . .13 g
Protéines . . . . . .22 g Lipides . . . . . . .12 g
Acides gras saturés. . . . . .1 g

25 min   20 min

4 personnes

I N G R É D I E N T S

450 ml de bouillon clair de poulet

2 feuilles de lime, hachées

3 cuil. à soupe de jus de citron

3 cuil. à soupe de sauce de poisson thaïe

2 petits piments verts forts, épépinés
et finement hachés

8 petits champignons shiitake ou 8 champignons
de paille, coupés en deux

5 cm de lemon-grass, haché

450 g de crevettes roses crues, décortiquées
et déveinées

oignons verts, en garniture

½ cuil. à café de sucre

S A U C E   T O M   Y A M

4 cuil. à soupe d'huile

5 gousses d'ail, finement hachées

2 gros piments forts rouges séchés,
grossièrement hachés

1 grosse échalote, finement hachée

1 cuil. à soupe de crevettes séchées (facultatif)

1 cuil. à soupe de sauce de poisson thaïe

2 cuil. à café de sucre

1 Pour préparer la sauce tom yam, chauffer l'huile dans une casserole ajouter l'ail et faire dorer quelques secondes. Retirer à l'aide d'une écumoire et réserver. Ajouter l'échalote dans la même huile et faire revenir jusqu'à ce qu'elle soit dorée et croustillante. Retirer et réserver. Faire ensuite brunir les piments. Égoutter sur du papier absorbant. Retirer la casserole du feu et réserver l'huile.

2 Dans un robot de cuisine ou un moulin à épices, moudre les crevettes séchées, ajouter les piments, l'ail et l'échalote réservés. Mixer jusqu'à obtention d'une pâte homogène. Remettre la casserole avec l'huile à feu doux, ajouter la pâte de crevettes et réchauffer. Ajouter la sauce de poisson et le sucre, et mélanger. Retirer du feu.

3 Dans une grande casserole, chauffer le bouillon de poulet et 2 cuillerées à soupe de sauce tom yam. Ajouter les feuilles de lime, le lemon-grass, le jus de citron, la sauce de poisson, les piments et le sucre. Laisser mijoter à feu doux 2 minutes.

4 Ajouter les champignons et les crevettes et cuire 2 à 3 minutes. Verser dans des bols chauds, garnir d'oignons verts et servir la soupe immédiatement.

Velouté de maïs au crabe

Cette soupe délicieuse est originale et très facile à préparer. Vous pouvez également utiliser des bâtonnets de crabe à la place de la chair de crabe égouttée.

VALEURS NUTRITIONNELLES

Calories 183   Glucides ......35 g
Protéines ....7 g   Lipides ....6 g
Acides gras saturés.......1 g

5 à 10 min   15 à 20 min

4 personnes

INGRÉDIENTS

1 cuil. à soupe d'huile

3 gousses d'ail, hachées

1 cuil. à café de gingembre râpé

700 ml de bouillon de poulet

1 boîte de 375 g de crème de maïs

sel et poivre

1 cuil. à soupe de sauce de poisson thaïe

1 boîte de 175 g de chair de crabe blanche, égouttée

1 œuf

coriandre fraîche hachée et paprika, en garniture

1 Faire chauffer l'huile dans une cocotte et faire revenir l'ail 1 minute, sans cesser de remuer.

2 Ajouter le gingembre, puis incorporer le bouillon et la crème de maïs. Porter à ébullition.

3 Incorporer la sauce de poisson, la chair de crabe, le sel, le poivre et porter à ébullition.

4 Battre l'œuf avant de l'incorporer délicatement à la soupe de sorte qu'il forme de longs filaments à la cuisson. Laisser cuire encore 30 secondes, jusqu'à ce qu'il soit juste cuit.

5 Verser la soupe dans des bols, garnir de feuilles de coriandre fraîche hachée et parsemer de paprika. Servir très chaud.

CONSEIL

Pour affiner le goût de cette soupe, en une occasion particulière, ajoutez-y une cuillerée à soupe de xérès sec ou de vin de riz juste avant de la verser dans les bols.

Soupe de potiron à la noix de coco

Une soupe savoureuse et nourrissante, à servir accompagnée de pain croustillant et qui constituera un excellent repas.

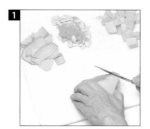

VALEURS NUTRITIONNELLES

Calories	105	Glucides	14 g
Protéines	3 g	Lipides	7 g
Acides gras saturés	4 g		

20 min   45 à 50 min

6 personnes

INGRÉDIENTS

1 potiron d'environ 1 kg

1 cuil. à soupe d'huile d'arachide

1 cuil. à café de graines de moutarde jaune

1 gousse d'ail, hachée

1 gros oignon, émincé

1 branche de céleri, émincée

1 petit piment rouge, coupé en morceaux

850 ml de bouillon de poulet

1 cuil. à soupe de crevette séchée

5 cuil. à soupe de crème de coco

sel et poivre

un peu de crème de coco, en garniture

lait de coco entier, en garniture

1 Couper le potiron en deux, l'épépiner, l'éplucher et couper la chair en dés.

2 Faire chauffer l'huile dans une cocotte et faire frire les graines de moutarde jusqu'à ce qu'elles commencent à éclater. Ajouter l'ail, l'oignon, le céleri et le piment, et faire revenir 1 à 2 minutes.

3 Ajouter le potiron, le bouillon et la crevette séchée et porter à ébullition. Réduire le feu, couvrir et laisser mijoter doucement 30 minutes jusqu'à ce que tous les ingrédients soient tendres.

4 Verser le tout dans un robot de cuisine et mixer jusqu'à obtention d'un mélange homogène. Remettre la soupe dans la cocotte et incorporer la crème de coco.

5 Saler et poivrer. Garnir d'une pointe de crème de coco et servir la soupe très chaude. Pour un goût plus doux, ajouter une cuillerée de lait de coco entier dans chaque bol avant de servir.

Consommé aux champignons

Les champignons noirs séchés sont un peu chers dans les supermarchés asiatiques mais c'est le seul endroit où vous serez sûrs de les trouver.

VALEURS NUTRITIONNELLES

Calories . . . . .65 Glucides . . . . . . .3 g
Protéines . . . . . . .4 g Lipides . . . . .5 g
Acides gras saturés. . . . . .1 g

 10 min   10 à 15 min

4 personnes

I N G R É D I E N T S

1 litre de bouillon de bœuf, fait maison

4 champignons noirs séchés

85 g de pleurotes, émincés

1 cuil. à soupe d'huile de tournesol

1 cuil. à café d'huile de sésame

1 piment vert, épépiné et haché

6 oignons verts

2 feuilles de lime, finement ciselées

2 cuil. à soupe de jus de citron vert

1 cuil. à soupe de vinaigre de riz

1 cuil. à soupe de sauce de poisson thaïe

1 gousse d'ail, hachée

85 g de tofu ferme, coupé en dés

sel et poivre

CONSEIL

Évitez d'utiliser un bouillon-cube qui donnera un bouillon trouble. Pour préparer un consommé végétalien, utilisez un bouillon de légumes et remplacez la sauce de poisson par de la sauce de soja claire.

1 Dans une terrine résistante à la chaleur, verser 150 ml d'eau bouillante sur les champignons et laisser tremper 30 minutes. Égoutter en réservant le jus et couper les champignons en morceaux.

2 Faire chauffer l'huile de tournesol et de sésame dans un wok ou une sauteuse à feu vif. Ajouter l'ail, le piment et les oignons verts et faire fondre 1 minute sans laisser dorer.

3 Ajouter les champignons noirs, les pleurotes, les feuilles de lime, le bouillon et le jus des champignons. Porter à ébullition.

4 Incorporer le jus de citron vert, le vinaigre de riz et la sauce de poisson, réduire le feu et laisser mijoter 3 à 4 minutes à feu doux.

5 Ajouter le tofu. Saler et poivrer. Chauffer doucement jusqu'à ébullition et servir immédiatement.

Soupe de riz aux œufs

Cette succulente soupe typiquement thaïe est parfois servie au petit déjeuner.
Elle est un excellent moyen d'accommoder d'éventuels restes de riz.

VALEURS NUTRITIONNELLES

Calories 197   Glucides . . . . . .18 g
Protéines . . . . . .11 g   Lipides . . . . . . .10 g
Acides gras saturés. . . . . .2 g

10 min   20 min

4 personnes

INGRÉDIENTS

1 cuil. à café d'huile de tournesol

1 gousse d'ail, hachée

50 g de viande de porc hachée

3 oignons verts, émincés

1 litre de bouillon de poulet

1 cuil. à soupe de gingembre râpé

1 petit piment rouge, épépiné et coupé en morceaux

150 g de riz long grain

1 cuil. à soupe de sauce de poisson thaïe

4 petits œufs

sel et poivre

2 cuil. à soupe de coriandre fraîche hachée

1 Faire chauffer l'huile dans une sauteuse ou un wok. Mettre l'ail et le porc, et faire cuire à feu doux 1 minute, jusqu'à ce que la viande s'émiette mais ne soit pas dorée.

2 Incorporer l'oignon vert, le gingembre, le piment et le bouillon, et porter à ébullition. Ajouter le riz, réduire le feu et laisser mijoter 2 minutes.

3 Ajouter la sauce de poisson thaïe. Saler et poivrer selon son goût. Casser délicatement les œufs dans la soupe et faire pocher 3 à 4 minutes à feu très doux, jusqu'à ce que les œufs prennent.

4 Répartir la soupe dans de grands bols, en servant un œuf par personne. Garnir de coriandre hachée et servir immédiatement.

CONSEIL

Si vous préférez, vous pouvez battre les œufs et les faire frire comme pour une omelette. Coupez-les ensuite en rubans et ajoutez-les à la soupe juste avant de servir.

Soupe d'épinards au gingembre

Cette délicieuse soupe délicatement parfumée au gingembre et au lemon-grass constituera une excellente entrée pour vos repas d'été.

VALEURS NUTRITIONNELLES

Calories . . . . .38 Glucides . . . . .3,2 g
Protéines . . . . . .3,2 g Lipides . . . . . . .1,8 g
Acides gras saturés. . . . . .0,2 g

 10 min   25 min

4 personnes

I N G R É D I E N T S

2 cuil. à soupe d'huile de tournesol

1 oignon, émincé

2 gousses d'ail, finement émincées

1 morceau de gingembre frais de 2,5 cm, coupé en morceaux

250 g de pousses d'épinards

1 petite tige de lemon-grass, coupée en morceaux

1 litre de bouillon de poulet ou de légumes

1 petite pomme de terre, pelée et coupée en petits morceaux

sel et poivre

1 cuil. à soupe de vin de riz ou de xérès sec

1 cuil. à café d'huile de sésame

feuilles d'épinards frais, en garniture

1 Faire chauffer l'huile dans une cocotte. Mettre l'oignon, l'ail et le gingembre et faire revenir 3 à 4 minutes, sans laisser dorer, jusqu'à ce que le mélange soit fondant.

VARIANTE

Pour une soupe plus onctueuse, incorporez 4 cuillerées à soupe de crème de coco ou remplacez 300 ml de bouillon par du lait de coco. Décorez-la ensuite de copeaux de noix de coco fraîche.

2 Réserver 2 à 3 feuilles d'épinards. Ajouter les autres dans la cocotte avec le lemon-grass en remuant jusqu'à ce que les épinards soient flétris. Ajouter le bouillon et la pomme de terre et porter à ébullition. Réduire le feu, couvrir et laisser mijoter environ 10 minutes.

3 Verser le mélange dans un robot de cuisine et mixer jusqu'à ce que la soupe soit lisse et homogène.

4 Remettre la soupe dans la cocotte et ajouter le vin de riz. Saler et poivrer. Faire chauffer jusqu'à ce que la soupe frémisse.

5 Ciseler finement les feuilles d'épinards réservées et en parsemer la soupe. Arroser de quelques gouttes d'huile de sésame et décorer de feuilles d'épinards frais. Servir très chaud.

Velouté d'avocat au citron vert

Une succulente soupe aux saveurs typiquement thaïes, qui ne nécessite aucune cuisson et peut être servie à tout moment de la journée.

VALEURS NUTRITIONNELLES

Calories 188   Glucides . . . . . . .6 g
Protéines . . . . . . .3 g   Lipides . . . . . . .18 g
Acides gras saturés. . . . . .5 g

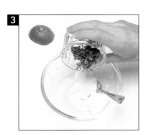

10 à 15 min   0 min

4 personnes

INGRÉDIENTS

2 avocats mûrs

1 petit oignon doux, émincé

1 gousse d'ail, hachée

2 cuil. à soupe de coriandre fraîche hachée

1 cuil. à soupe de menthe fraîche hachée

2 cuil. à soupe de jus de citron vert

700 ml de bouillon de légumes

1 cuil. à soupe de vinaigre de riz

1 cuil. à soupe de sauce de soja claire

sel et poivre

GARNITURE

2 cuil. à soupe de crème fraîche

1 cuil. à soupe de coriandre fraîche hachée

2 cuil. à café de jus de citron vert

fines lanières de zeste de citron vert

1 Couper les avocats en deux, retirer le noyau et la peau puis les mettre dans un robot de cuisine avec l'oignon, l'ail, la coriandre, la menthe, le jus de citron vert et la moitié du bouillon. Mixer jusqu'à ce que le mélange soit homogène.

2 Ajouter le reste du bouillon, le vinaigre de riz, la sauce de soja et mixer de nouveau, jusqu'à obtention d'un mélange homogène. Rectifier l'assaisonnement en ajoutant du sel, du poivre ou du jus de citron vert selon son goût. Couvrir et réserver au frais.

3 Pour préparer la garniture, mélanger la crème fraîche, la coriandre et le jus de citron vert. Verser sur la soupe, parsemer de zestes de citron vert et servir.

CONSEIL

La surface du velouté peut noircir légèrement si vous le conservez plus d'une heure au réfrigérateur. Il vous suffit de remuer la soupe avant de servir. Pour évitez ce désagrément, couvrez le plat de film alimentaire.

Satay de crevettes royales

Pour des saveurs authentiques, utilisez des ingrédients tels que le lemon-grass, les feuilles de lime et la pâte de curry, provenant de Thaïlande.

VALEURS NUTRITIONNELLES

Calories .... .367   Glucides ...... .58 g
Protéines .... .9 g   Lipides .... .23 g
Acides gras saturés. ..... .3 g

15 min   15 à 20 min

4 personnes

INGRÉDIENTS

12 crevettes royales crues, décortiquées

MARINADE

1 cuil. à café de coriandre et de cumin en poudre

2 cuil. à soupe de sauce de soja claire

4 cuil. à soupe d'huile

1 cuil. à soupe de curry en poudre

1 cuil. à soupe de curcuma

125 ml de lait de coco

3 cuil. à soupe de sucre

SAUCE AUX CACAHUÈTES

2 cuil. à soupe d'huile

1 cuil. à soupe de pâte de curry rouge (voir page 47)

3 gousses d'ail, hachées

125 ml de lait de coco

225 ml de bouillon de poisson ou de poulet

1 cuil. à soupe de sucre

1 cuil. à café de sel

1 cuil. à soupe de jus de citron

4 cuil. à soupe de cacahuètes non salées, grillées et finement hachées

4 cuil. à soupe de chapelure

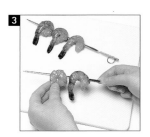

1 Fendre les crevettes le long du dos pour éventuellement les déveiner. Réserver. Mélanger les ingrédients de la marinade et y incorporer les crevettes. Bien mélanger, couvrir et réserver au frais au moins 8 heures ou une nuit.

2 Pour préparer la sauce aux cacahuètes, porter l'huile à haute température dans une grande poêle. Ajouter l'ail et faire revenir jusqu'à ce qu'il commence à dorer. Ajouter la pâte de curry et bien mélanger. Faire cuire 30 secondes. Ajouter le lait de coco, le bouillon de poisson ou de poulet, le sucre, le sel et le jus de citron et bien remuer. Laisser bouillir 1 à 2 minutes, sans cesser de remuer. Ajouter les cacahuètes finement hachées et la chapelure et bien mélanger. Verser la sauce dans un bol et réserver.

3 Prendre 4 brochettes et piquer 3 crevettes sur chacune. Faire cuire à point 3 à 4 minutes de chaque côté au barbecue ou sous un gril préchauffé. Servir immédiatement avec la sauce aux cacahuètes.

Croquettes de poisson

Pour la sauce aigre-douce, vous pouvez utiliser de petits piments appelés piments oiseau. Très relevés, vous pouvez en ôter les graines pour les adoucir.

VALEURS NUTRITIONNELLES

Calories 213   Glucides . . . . . .48 g

Protéines . . . . . .21 g   Lipides . . . . .4 g

Acides gras saturés. . . . . . .1 g

 15 min   10 min

4 personnes

I N G R É D I E N T S

450 g de filets de poisson blanc à chair ferme
(colin ou cabillaud), sans la peau
et grossièrement hachés

1 cuil. à soupe de sauce de poisson thaïe

1 cuil. à soupe de pâte de curry rouge (voir page 47)

1 feuille de lime, ciselée

2 cuil. à soupe de coriandre fraîche hachée

1 œuf

1 cuil. à café de sucre roux

1 grosse pincée de sel

40 g de haricots verts, finement émincés en biais

huile, pour la friture

S A U C E   A I G R E - D O U C E

4 cuil. à soupe de sucre

1 cuil. à soupe d'eau froide

3 cuil. à soupe de vinaigre de riz blanc

2 petits piments rouges forts, finement hachés

1 cuil. à soupe de sauce de poisson thaïe

1 Pour les croquettes, mettre les filets de poisson, la sauce de poisson, la pâte de curry rouge, la feuille de lime, la coriandre, l'œuf, le sucre et le sel dans un robot de cuisine. Mélanger jusqu'à ce que le mélange soit homogène. Transvaser dans une terrine et incorporer les haricots verts. Réserver.

2 Pour préparer la sauce, mettre le sucre, l'eau et le vinaigre de riz dans une casserole et chauffer doucement jusqu'à dissolution du sucre. Porter à ébullition et laisser mijoter 2 minutes. Retirer du feu et incorporer les piments hachés et la sauce de poisson, et laisser refroidir.

3 Couvrir le fond d'une poêle d'huile et chauffer. Diviser la préparation au poisson en 16 boulettes égales. Les aplatir en forme de galette et faire dorer 1 à 2 minutes de chaque côté. Égoutter sur du papier absorbant. Servir immédiatement avec la sauce aigre-douce.

CONSEIL

Vous n'avez pas besoin d'acheter les meilleurs morceaux de poisson pour cette recette, car les autres saveurs sont très prononcées. Prenez les morceaux les moins chers.

Nouilles thaïlandaises

Une savoureuse recette classique de nouilles thaïes, qui marie crevettes, cacahuètes grillées et sauce de poisson.

VALEURS NUTRITIONNELLES

Calories	344	Glucides	. . . . . .29 g
Protéines	. . . . . .21 g	Lipides	. . . . . . .17 g
Acides gras saturés. . . . . . .2 g			

20 min   10 à 15 min

4 personnes

I N G R É D I E N T S

350 g de crevettes tigrées cuites, décortiquées

115 g de nouilles de riz plates ou de vermicelle de riz

4 cuil. à soupe d'huile

2 gousses d'ail, finement hachées

1 œuf

2 cuil. à soupe de jus de citron

4 cuil. à café ½ de sauce de poisson thaïe

2 cuil. à soupe de cacahuètes grillées, concassées

½ cuil. à café de poivre de Cayenne

½ cuil. à café de sucre

2 oignons verts, coupés en morceaux de 2,5 cm

50 g de germes de soja frais

1 cuil. à soupe de coriandre fraîche hachée

quartiers de citron, en garniture

1 Égoutter les crevettes sur du papier absorbant. Réserver. Cuire les nouilles en suivant les instructions figurant sur le paquet. Égoutter et réserver.

2 Faire revenir l'ail dans un wok ou une sauteuse. Ajouter l'œuf et cuire quelques secondes sans cesser de remuer.

3 Ajouter les crevettes et mélanger avec l'œuf et l'ail.

4 Ajouter le jus de citron, la sauce de poisson, la moitié des cacahuètes, le sucre, le poivre de Cayenne, les oignons verts et la moitié des germes de soja en remuant et laisser le tout réchauffer 2 minutes à feu vif.

5 Transférer sur un plat de service chaud. Ajouter le reste de cacahuètes et les germes de soja. Garnir de quartiers de citron, parsemer de coriandre hachée et servir immédiatement.

VARIANTE

Il s'agit d'un plat de base auquel on peut ajouter différents fruits de mer cuits. Anneaux de calmars cuits, moules et langoustines conviennent parfaitement.

Galettes thaïes

Ces petites galettes sont vendues en Thaïlande par des marchands de rue et constituent un en-cas délicieux. Vous pouvez également les servir en entrée.

VALEURS NUTRITIONNELLES

Calories 205   Glucides . . . . . . .6 g
Protéines . . . . . .17 g   Lipides . . . . . . .12 g
Acides gras saturés. . . . . .2 g

 10 min   10 à 20 min

4 à 5 personnes

INGRÉDIENTS

350 g de filets de poisson à chair blanche, du cabillaud ou du colin, sans la peau

1 cuil. à soupe de sauce de poisson thaïe

2 cuil. à café de pâte de curry rouge

1 cuil. à soupe de jus de citron vert

1 gousse d'ail, hachée

1 blanc d'œuf

4 feuilles de lime séchées, hachées

sel et poivre

3 cuil. à soupe de coriandre fraîche, hachée

huile, pour la friture

feuilles de salade verte, pour servir

SAUCE AUX CACAHUÈTES

1 petit piment rouge

4 cuil. à soupe de lait de coco

1 cuil. à soupe de sauce de soja claire

1 cuil. à soupe de jus de citron vert

1 cuil. à soupe de sucre roux

3 cuil. à soupe de beurre de cacahuètes avec des éclats de cacahuètes

1 Dans un robot de cuisine, placer le poisson, la sauce de poisson, la pâte de curry, le jus de citron vert, l'ail et les feuilles de lime, et mixer jusqu'à obtention d'une pâte homogène.

2 Incorporer la coriandre et mixer de nouveau. Partager la préparation en 8 à 10 portions et les façonner en boulettes, puis les aplatir pour former des galettes. Réserver.

3 Pour préparer la sauce, épépiner le piment, le couper en 2, puis le hacher finement. Placer le piment dans une casserole avec le reste des ingrédients et faire chauffer doucement, sans cesser de remuer, jusqu'à ce que le mélange soit homogène. Rectifier l'assaisonnement.

4 Faire frire les galettes par fournées, 3 à 4 minutes de chaque côté jusqu'à ce qu'elles soient bien dorées. Égoutter sur du papier absorbant. Servir très chaud sur un lit de feuilles de salade verte, et accompagné de la sauce aux cacahuètes.

Tartines de crabe à la thaïlandaise

De délicieuses tartines agrémentées d'une multitude de saveurs : du crabe, de l'avocat et du gingembre. Parfait pour un déjeuner estival léger.

VALEURS NUTRITIONNELLES

Calories	768	Glucides	......61 g
Protéines	......26 g	Lipides	.......49 g
Acides gras saturés.			......8 g

 5 à 10 min   0 min

2 personnes

INGRÉDIENTS

2 cuil. à soupe de jus de citron vert

1 morceau de 2 cm de gingembre frais, râpé

1 morceau de 2 cm de lemon-grass, finement haché

5 cuil. à soupe de mayonnaise

2 grosses tranches de pain blanc

1 avocat mûr

150 g de chair de crabe cuite

brins de coriandre fraîche, en garniture

poivre noir, fraîchement moulu

CONSEIL

Pour préparer une mayonnaise au citron vert et au gingembre, placez 2 jaunes d'œufs, 1 cuillerée à soupe de jus de citron vert et ½ cuillerée à café de gingembre râpé dans un robot de cuisine. L'appareil en marche, ajoutez 300 ml d'huile d'olive, goutte à goutte, jusqu'à ce que le mélange soit épais et homogène. Saler et poivrer.

1 Dans une terrine, mélanger la moitié du jus de citron vert avec le gingembre et le lemon-grass. Ajouter la mayonnaise et bien mélanger.

2 Étaler une cuillerée à soupe de mayonnaise sur chaque tranche de pain.

3 Couper l'avocat en deux et retirer le noyau. Éplucher l'avocat et le couper en tranches fines. Disposer les tranches sur le pain. Arroser de jus de citron vert.

4 Disposer la chair de crabe sur les tranches de pain et arroser avec le reste de jus de citron vert. Recouvrir du reste de mayonnaise. Saler et poivrer. Garnir de brins de coriandre fraîche et servir immédiatement.

Ailes de poulet au gingembre

Idéale pour un buffet, cette entrée se déguste avec les doigts — mais ayez des rince-doigts à disposition. Vous pouvez remplacer les ailes de poulet par des pilons.

VALEURS NUTRITIONNELLES

Calories . . . . .416　Glucides . . . . . .12 g
Protéines . . . . . .41 g　Lipides . . . . . . .25 g
Acides gras saturés. . . . . . .7 g

30 min　　12 à 15 min

4 personnes

I N G R É D I E N T S

2 gousses d'ail, pelées

1 morceau de gingembre confit au sirop

1 cuil. à café de graines de coriandre

2 cuil. à soupe de sirop de gingembre confit

2 cuil. à soupe de sauce de soja épaisse

1 cuil. à café d'huile de sésame

1 cuil. à soupe de jus de citron vert

12 ailes de poulet

quartiers de citrons et feuilles de coriandre fraîche,
　en garniture

1 Hacher grossièrement l'ail et le gingembre. Piler l'ail, le gingembre et la coriandre dans un mortier, jusqu'à obtention d'une pâte, en ajoutant progressivement le sirop de gingembre, la sauce de soja, le jus de citron vert et l'huile de sésame.

2 Replier la pointe des ailes de poulet sous la partie la plus charnue, jusqu'à former un triangle régulier. Placer dans une terrine.

3 Verser la préparation au gingembre dans la terrine et bien remuer pour que les ailes soient bien enrobées. Couvrir et laisser mariner plusieurs heures au réfrigérateur ou toute la nuit si possible.

4 Disposer les ailes de poulet en une couche dans un plat à rôtir chemisé d'une feuille de papier d'aluminium. Faire rôtir 12 à 15 minutes au gril à température moyenne, en les retournant de temps en temps, jusqu'à ce qu'elles soient cuites et bien dorées.

5 Il est également possible de faire cuire les ailes de poulet 12 à 15 minutes sur une grille de barbecue huilée placée au-dessus de braises moyennement chaudes.

CONSEIL

Pour vérifier que le poulet est bien cuit, piquez la chair à l'endroit le plus charnu. Si le poulet est cuit, le jus qui s'en écoule est clair, sans trace rosée. Si le jus est encore un peu rosé, laissez cuire la viande quelques minutes de plus.

Brochettes de lemon-grass au poulet

Une recette originale dans laquelle les tiges de lemon-grass sont utilisées en guise de brochettes. Cette particularité apporte au poulet une délicate saveur citronnée.

VALEURS NUTRITIONNELLES

Calories . . . . . . .140 Glucides . . . . . . .4 g

Protéines . . . . . .19 g Lipides . . . . .7 g

Acides gras saturés. . . . . .1 g

 25 min 4 à 6 min

4 personnes

INGRÉDIENTS

2 tiges de lemon-grass longues ou 4 courtes

2 gros blancs de poulet, d'environ 400 g au total

1 petit blanc d'œuf, battu

1 carotte, finement râpée

1 petit piment rouge, épépiné et haché

2 cuil. à soupe de ciboulette fraîche hachée

2 cuil. à soupe de coriandre fraîche hachée

1 cuil. à soupe d'huile de tournesol

sel et poivre

DÉCORATION

brins de coriandre fraîche

tranches de citron vert

1 Si les tiges de lemon-grass sont longues, les couper en 2 pour obtenir 4 tiges courtes. Couper chaque tige en 2 dans la longueur jusqu'à obtenir 8 baguettes.

CONSEIL

Si vous ne trouvez pas de tiges de lemon-grass entières, utilisez des brochettes en bois ou en bambou et ajoutez ½ cuillerée à café de poudre de lemon-grass en poudre aux autres ingrédients.

2 Couper le poulet en morceaux et le placer dans un robot de cuisine avec le blanc d'œuf. Mixer jusqu'à obtention d'une pâte homogène. Ajouter la carotte, le piment, la ciboulette, la coriandre, le sel et le poivre. Mixer quelques secondes jusqu'à ce que le mélange soit homogène.

3 Placer 15 minutes au frais. Diviser en 8 portions et, en pressant avec les mains, entourer les 8 brochettes de lemon-grass.

4 Badigeonner les brochettes avec un peu d'huile et faire griller 4 à 6 minutes à température moyenne sous un gril préchauffé ou au barbecue, en les retournant de temps en temps, jusqu'à ce qu'elles soient dorées et complètement cuites.

5 Garnir de brins de coriandre fraîche et de tranches de citron vert, et servir chaud.

Omelette fourrée à la thaïlandaise

Parfaite en entrée ou pour un repas léger, cette délicieuse omelette est nourrissante mais pauvre en calories. À accompagner d'une salade croquante et colorée.

VALEURS NUTRITIONNELLES

Calories 270   Glucides . . . . . . .3 g
Protéines . . . . . .24 g   Lipides . . . . . . .18 g
Acides gras saturés. . . . . .4 g

10 min   30 à 40 min

4 personnes

I N G R É D I E N T S

2 gousses d'ail, émincées

4 grains de poivre noir et 4 brins de coriandre fraîche

2 cuil. à soupe d'huile

200 g de viande de porc hachée

2 oignons verts, émincés

1 grosse tomate ferme, concassée

6 gros œufs

1 cuil. à soupe de sauce de poisson thaïe

¼ de cuil. à café de curcuma

mesclun, en garniture

1 Piler l'ail, les grains de poivre et la coriandre dans un mortier, jusqu'à obtention d'une pâte homogène.

2 Faire chauffer une cuillerée à soupe d'huile dans un wok ou une sauteuse à feu moyen. Y verser la pâte et faire frire 1 à 2 minutes jusqu'à ce qu'elle commence à prendre couleur.

3 Ajouter le porc et faire revenir, sans cesser de remuer, jusqu'à ce qu'il dore. Ajouter l'oignon vert et la tomate et faire revenir encore 1 minute. Retirer du feu.

4 Faire chauffer le reste d'huile dans une poêle. Battre les œufs avec la sauce de poisson et le curcuma. Verser un quart du mélange dans la poêle. Lorsqu'il commence à prendre, remuer délicatement pour vérifier que toute l'omelette est bien prise.

5 Verser un quart de la préparation au porc au centre de l'omelette, puis rabattre les bords vers le centre, en recouvrant la farce. Répéter l'opération trois fois pour obtenir quatre omelettes.

6 Disposer les omelettes dans des assiettes et servir avec du mesclun.

CONSEIL
Si vous préférez, vous pouvez placer la farce sur une omelette et la recouvrir d'une seconde, sans les rouler. Découpez ensuite le tout en petites parts avant de servir.

Saucisses épicées à la thaïlandaise

Idéales pour un buffet, ces savoureuses saucisses délicatement relevées peuvent être préparées la veille et servies froides ou chaudes selon les goûts.

VALEURS NUTRITIONNELLES

Calories 206   Glucides . . . . .4,1 g
Protéines . . . . . .22 g   Lipides . . . . . . .11 g
Acides gras saturés. . . . . . .2 g

🕒 20 à 25 min   🕐 8 à 10 min

4 personnes

INGRÉDIENTS

400 g de chair à saucisse

4 cuil. à soupe de riz cuit

1 gousse d'ail, hachée

1 cuil. à café de pâte de curry rouge

1 cuil. à café de poivre noir moulu

1 cuil. à café de coriandre en poudre

½ cuil. à café de sel

3 cuil. à soupe de jus de citron vert

2 cuil. à soupe de feuilles de coriandre hachées

3 cuil. à soupe d'huile d'arachide

sambal à la noix de coco ou sauce de soja,
    en accompagnement

1 Mettre la chair à saucisse, le riz, l'ail, la pâte de curry, le poivre, la coriandre, le sel, le jus de citron vert et les feuilles de coriandre dans une terrine et pétrir avec les mains jusqu'à obtention d'un mélange homogène.

2 Diviser la préparation en 12 et, avec les mains ou des moules adaptés, façonner de petites saucisses.

3 Faire chauffer l'huile dans une grande poêle à feu moyen. Mettre les saucisses et faire frire 8 à 10 minutes, en les retournant de temps en temps, jusqu'à ce qu'elles soient uniformément dorées. Servir chaud et accompagné d'un sambal à la noix de coco ou de sauce de soja.

CONSEIL

Vous pouvez aussi servir ce plat à l'apéritif, divisez alors la préparation de base en 16 pour former des saucisses plus petites. Servez accompagné de sauce au soja.

Hamburgers à la mode thaïe

Si votre famille aime les hamburgers, essayez ceux-ci : ils ont une saveur beaucoup plus originale que celle des hamburgers traditionnels.

VALEURS NUTRITIONNELLES

Calories	358	Glucides	.......3 g
Protéines	......23 g	Lipides	.......29 g
Acides gras saturés			......5 g

20 min   6 à 8 min

4 personnes

I N G R É D I E N T S

1 tige de lemon-grass

1 petit piment rouge, épépiné

2 gousses d'ail, pelées

2 oignons verts

200 g de champignons de Paris

400 g de porc haché

1 cuil. à soupe de sauce de poisson thaïe

3 cuil. à soupe de coriandre fraîche hachée

huile de tournesol, pour la cuisson

2 cuil. à soupe de mayonnaise

1 cuil. à soupe de jus de citron vert

sel et poivre

G A R N I T U R E

4 petits pains au sésame pour hamburgers

chou chinois, coupé en fines lanières

1 Mettre le lemon-grass, le piment, l'ail et les oignons verts dans un robot de cuisine et mixer jusqu'à obtention d'une pâte homogène. Ajouter les champignons et mixer jusqu'à ce qu'ils soient finement hachés.

2 Dans une terrine, mélanger cette pâte avec le porc haché, la sauce de poisson et la coriandre. Saler, poivrer et diviser le mélange en 4 portions égales. Avec les mains farinées, façonner la préparation en forme de hamburgers.

3 Badigeonner les hamburgers d'huile et faire cuire au dessus de braises moyennement chaudes ou faire revenir dans une poêle à feu moyen 6 à 8 minutes.

4 Mélanger la mayonnaise au jus de citron vert et l'étaler sur les deux moitiés de petits pains préalablement coupés en deux. Disposer quelques lanières de chou chinois, la viande et refermer. Servir immédiatement, pendant que le hamburger est chaud.

CONSEIL

Vous pouvez ajouter une cuillerée de votre sauce préférée dans chaque hamburger, ou quelques légumes croquants au vinaigre pour une consistance différente.

Nouilles aigres-piquantes

Ce plat est traditionnellement vendu en Thaïlande par les marchands de rue.
Vous pouvez le réaliser avec différentes variétés de légumes et de viandes.

VALEURS NUTRITIONNELLES

Calories 337   Glucides . . . . . .54 g
Protéines . . . . . .10 g   Lipides . . . . . . .11 g
Acides gras saturés. . . . . .1 g

   10 min   10 à 15 min

4 personnes

INGRÉDIENTS

250 g de nouilles aux œufs séchées moyennes

1 cuil. à soupe d'huile de sésame

1 cuil. à soupe d'huile pimentée thaïe

1 gousse d'ail, hachée

2 oignons verts, finement émincés

55 g de champignons de Paris, émincés

40 g de champignons noirs chinois séchés,
   trempés, égouttés et émincés

2 cuil. à soupe de jus de citron vert

3 cuil. à soupe de sauce de soja claire

1 cuil. à café de sucre

ACCOMPAGNEMENT

chou chinois, coupé en lanières

2 cuil. à soupe de coriandre hachée

2 cuil. à soupe de cacahuètes grillées

CONSEIL

L'huile pimentée thaïe est très relevée.
Si vous préférez une saveur plus douce,
utilisez de l'huile végétale classique
pour la première cuisson et ajoutez l'huile
pimentée juste avant de servir,
pour rectifier l'assaisonnement.

1 Faire cuire les nouilles 3 à 4 minutes dans une casserole d'eau bouillante, ou en suivant les instructions figurant sur le paquet. Bien égoutter, arroser d'huile de sésame et réserver.

2 Dans un wok, faire chauffer l'huile pimentée et y faire revenir l'ail, les oignons verts et les champignons de Paris.

3 Ajouter les champignons noirs, le jus de citron vert, la sauce de soja et le sucre et faire revenir jusqu'à ce que le mélange frémisse. Ajouter les nouilles et secouer le wok pour bien mélanger le tout.

4 Servir sur un lit de chou chinois, parsemé de coriandre hachée et de cacahuètes grillées.

Nouilles au porc et aux crevettes

Une succulente recette classique qui marie parfaitement porc et crevettes.
N'hésitez pas cependant à y ajouter votre touche personnelle !

VALEURS NUTRITIONNELLES

Calories 477   Glucides . . . . . .66 g
Protéines . . . . . .26 g   Lipides . . . . . . .14 g
Acides gras saturés. . . . . . .3 g

 15 min   10 à 15 min

4 personnes

INGRÉDIENTS

250 g de nouilles de riz

3 cuil. à soupe d'huile d'arachide

3 gousses d'ail, finement hachées

125 g de filet de porc, coupé en cubes d'environ 1 cm

200 g de crevettes décortiquées

1 cuil. à soupe de sucre

3 cuil. à soupe de sauce de poisson thaïe

1 cuil. à soupe de ketchup et de jus de citron vert

2 œufs, battus

125 g de germes de soja

GARNITURE

1 cuil. à café de flocons de piment rouge séché

2 oignons verts, grossièrement émincés

2 cuil. à soupe de coriandre fraîche hachée

1 Faire tremper les nouilles 15 minutes à l'eau chaude, ou en suivant les instructions figurant sur le paquet.

2 Faire chauffer l'huile dans un wok ou une sauteuse et faire revenir l'ail 30 secondes à feu vif. Ajouter le porc et faire revenir 2 à 3 minutes jusqu'à ce qu'il commence à dorer.

3 Ajouter les crevettes, le sucre, la sauce de poisson, le ketchup et le jus de citron vert en remuant et faire revenir encore 30 secondes.

4 Verser les œufs et faire cuire quelques instants jusqu'à ce qu'ils commencent à prendre. Ajouter les nouilles et les germes de soja et faire cuire 30 secondes.

5 Transférer le tout dans un plat de service et garnir d'oignons verts, de flocons de piments et de coriandre hachée.

CONSEIL
Bien égoutter les nouilles avant de les ajouter au plat. Trop humides, elles compromettraient la texture du plat.

Nouilles de riz au tofu

Cette délicieuse recette au tofu très nourrissante est une variante des préparations de nouilles thaïes classiques.

VALEURS NUTRITIONNELLES

Calories 361   Glucides . . . . . .56 g
Protéines . . . . . . .9 g   Lipides . . . . . . .12 g
Acides gras saturés. . . . . .2 g

15 min   🕐 10 min

4 personnes

INGRÉDIENTS

225 g de nouilles de riz

1 gousse d'ail, finement émincée

1 morceau de gingembre frais de 2 cm, haché

4 échalotes, coupées en fines rondelles

70 g de champignons shiitake, coupés en tranches

100 g de tofu ferme, coupé en dés de 1 cm

2 cuil. à soupe de sauce de soja claire

1 cuil. à soupe de vin de riz

1 cuil. à soupe de sauce de poisson thaïe

1 cuil. à soupe de beurre de cacahuètes

1 cuil. à café de sauce de piment

2 cuil. à soupe de cacahuètes grillées, concassées

2 cuil. à soupe d'huile

feuilles de basilic, pour décorer

1 Faire tremper les nouilles 15 minutes dans l'eau chaude, ou en suivant les instructions figurant sur le paquet. Bien égoutter.

2 Faire chauffer l'huile dans un wok ou une sauteuse et faire revenir l'ail, le gingembre et les échalotes 1 à 2 minutes jusqu'à ce que le mélange fonde et roussisse légèrement.

3 Ajouter les champignons et faire revenir 2 à 3 minutes. Ajouter le tofu et remuer délicatement jusqu'à ce qu'il roussisse légèrement.

4 Mélanger la sauce de soja, le vin de riz, la sauce de poisson, le beurre de cacahuètes et la sauce de piment et incorporer le mélange au wok.

5 Ajouter les nouilles et mélanger pour qu'elles s'imprègnent de la sauce. Parsemer de cacahuètes concassées et de feuilles de basilic. Servir très chaud.

CONSEIL

Vous pouvez remplacer les champignons shiitake par une boîte de champignons de couche. Vous pouvez également utiliser des champignons shiitake séchés, en les trempant et en les égouttant avant usage.

Nouilles à la nage

Peut-être serait-il plus correct d'appeler ces nouilles « soiffardes » parce que ce plat est supposé faire merveille contre les effets de l'ébriété.

VALEURS NUTRITIONNELLES

Calories	278	Glucides	......43 g
Protéines	......12 g	Lipides	........7 g
	Acides gras saturés. ......1 g		

 15 min   🕐 10 min

4 personnes

INGRÉDIENTS

175 g de nouilles de riz

2 cuil. à soupe d'huile

1 gousse d'ail, hachée

2 petits piments verts, coupés en morceaux

150 g de viande de porc ou de poulet, hachée

1 petit poivron vert, épépiné et coupé en petits morceaux

4 feuilles de lime, finement ciselées

1 cuil. à soupe de sauce de soja épaisse

1 cuil. à soupe de sauce de soja claire

1 tomate, coupée en fines rondelles

2 cuil. à soupe de feuilles de basilic ciselées, en garniture

1 petit oignon, finement émincé

½ cuil. à café de sucre

1 Faire tremper les nouilles 15 minutes dans l'eau chaude ou selon les instructions figurant sur le paquet. Bien égoutter.

2 Faire chauffer l'huile dans un wok ou une sauteuse et y faire revenir l'ail, les piments et l'oignon 1 minute.

3 Ajouter le porc ou le poulet haché et faire revenir le tout 1 minute à feu vif. Incorporer le poivron et faire revenir encore 2 à 3 minutes sans cesser de remuer.

4 Ajouter les feuilles de lime, les sauces de soja et le sucre. Verser les nouilles et la tomate, et remuer pour bien réchauffer le tout.

5 Parsemer les nouilles de feuilles de basilic ciselées et servir très chaud.

CONSEIL

Les feuilles de lime fraîches se congèlent bien, vous pouvez conserver celles que vous n'utilisez pas au congélateur plus d'un mois en les plaçant ficelées dans un sac congélation. Elles seront prêtes à l'emploi.

Nouilles de riz au poulet

Vous pouvez réaliser cette recette avec très peu de matière grasse.
Légère et savoureuse, elle est très rapide à préparer.

VALEURS NUTRITIONNELLES

Calories 329   Glucides . . . . . .46 g
Protéines . . . . . .25 g   Lipides . . . . .4 g
Acides gras saturés. . . . . .1 g

 15 min   10 min

4 personnes

INGRÉDIENTS

200 g de nouilles de riz

1 cuil. à soupe d'huile de tournesol

1 gousse d'ail, finement émincée

1 morceau de gingembre frais de 2 cm, haché

4 oignons verts, émincés

1 piment oiseau rouge, épépiné et coupé en rondelles

300 g de filets de poulet, hachés

1 cuil. à soupe de sauce de soja

1 branche de céleri, émincée

1 carotte, coupée en julienne

300 g de chou chinois, en lanières

4 cuil. à soupe de jus de citron vert

2 cuil. à soupe de sauce de poisson thaïe

2 foies de volaille, finement hachés

GARNITURE

2 cuil. à soupe de menthe fraîche hachée

rondelles d'ail au vinaigre

feuilles de menthe

1 Laisser tremper les nouilles dans une terrine d'eau chaude 15 minutes ou selon les instructions figurant sur le paquet. Égoutter soigneusement.

2 Faire chauffer l'huile dans un wok et y faire revenir l'ail, le gingembre, l'oignon vert et le piment environ 1 minute. Ajouter le poulet et les foies de volaille et faire revenir 2 à 3 minutes sans cesser de remuer.

3 Ajouter le céleri et la carotte et faire revenir encore 2 minutes sans cesser de remuer jusqu'à ce que le mélange soit plus fondant. Ajouter le chou chinois, le jus de citron vert, la sauce de poisson et la sauce de soja.

4 Ajouter les nouilles et remuer. Parsemer de menthe fraîche hachée et d'ail au vinaigre. Servir immédiatement.

Porc sauté aux pâtes

Préparé en quelques minutes, ce plat délicieux aux accents asiatiques, flattera sans aucun doute vos papilles.

VALEURS NUTRITIONNELLES

Calories 751   Glucides . . . . .106 g
Protéines . . . . . .37 g   Lipides . . . . . . .27 g
Acides gras saturés. . . . . .8 g

20 min   15 min

4 personnes

INGRÉDIENTS

3 cuil. à soupe d'huile de sésame

350 g de filet de porc, coupé en fines lanières

450 g de taglioni secs

1 cuil. à soupe d'huile d'olive

8 échalotes, émincées

2 gousses d'ail, finement hachées

2 cuil. à soupe d'amandes pilées

1 morceau de gingembre frais de 2,5 cm, râpé

1 piment vert frais, finement haché

1 poivron rouge, évidé, épépiné
    et finement émincé

1 poivron vert, évidé, épépiné
    et finement émincé

3 courgettes, coupées en fines lanières

1 cuil. à café de cannelle et d'amandes en poudre

1 cuil. à soupe de sauce d'huître

55 g de crème de coco, râpée (voir « conseil »)

sel et poivre

1 Faire chauffer l'huile de sésame dans un wok préchauffé ou une sauteuse. Saler et poivrer le porc et faire revenir 5 minutes.

2 Porter à ébullition une casserole d'eau salée. Ajouter les taglioni et l'huile d'olive, et faire cuire 12 minutes. Égoutter et réserver au chaud.

3 Mettre les échalotes, l'ail, le gingembre et le piment dans le wok ou la sauteuse et faire revenir 2 minutes. Ajouter les poivrons et les courgettes, et faire revenir 1 minute.

4 Ajouter les amandes en poudre, la cannelle, la sauce d'huître et la crème de coco, et faire revenir 1 minute.

5 Disposer la préparation dans un plat chaud et servir immédiatement.

CONSEIL

La crème de coco s'achète dans les épiceries asiatiques et dans certains grands supermarchés. Elle se vend sous forme de blocs concentrés et donne aux plats un goût prononcé de noix de coco.

Pad Thaï

Dans le Sud-Est asiatique et en Thaïlande, les marchands de rue préparent ce délicieux plat de nouilles à la demande.

VALEURS NUTRITIONNELLES

Calories 527   Glucides . . . . . .66 g
Protéines . . . . . .34 g   Lipides . . . . . . .17 g
Acides gras saturés. . . . . .3 g

 15 min   10 min

4 personnes

I N G R É D I E N T S

225 g de nouilles de riz plates (sen lek)

2 cuil. à soupe d'huile, d'arachide par exemple

225 g de blancs de poulet désossés, sans la peau,
  coupés en lanières

4 échalotes, finement hachées

2 gousses d'ail, finement hachées

4 oignons verts, émincés en biais
  en tronçons de 5 cm

350 g de chair de crabe blanche fraîche

75 g de germes de soja frais, rincés

1 cuil. à soupe de radis frais émincés

2 à 4 cuil. à soupe de cacahuètes grillées, concassées

coriandre fraîche, pour décorer

S A U C E

3 cuil. à soupe de sauce de poisson thaïe

2 ou 3 cuil. à soupe de vinaigre de riz
  ou de vinaigre de cidre

1 cuil. à soupe de sauce de soja pimentée
  ou de sauce d'huître

1 cuil. à soupe d'huile de sésame

1 cuil. à soupe de sucre de palme ou de sucre roux

½ cuil. à café de poivre de Cayenne
  ou 1 piment rouge frais, finement émincé

1 Pour préparer la sauce, battre ensemble tous les ingrédients dans un bol et réserver.

2 Mettre les nouilles dans une grande terrine et les couvrir d'eau chaude. Laisser tremper 15 minutes pour les ramollir. Égoutter, rincer et égoutter à nouveau.

3 Dans un wok ou une sauteuse à fond épais, faire chauffer l'huile à feu vif mais ne pas attendre qu'elle fume. Faire revenir les morceaux de poulet 1 à 2 minutes pour les faire légèrement dorer. À l'aide d'une écumoire, les retirer et les mettre dans une assiette. Mettre le feu entre moyen et fort.

4 Faire revenir les échalotes, l'ail et les oignons verts environ 1 minute dans le wok ou la sauteuse. Ajouter les nouilles égouttées, puis la sauce.

5 Remettre le poulet dans le wok et ajouter la chair de crabe, les germes de soja et les radis. Bien remuer et faire revenir environ 5 minutes pour bien faire chauffer, en remuant souvent. Si les nouilles commencent à coller, ajouter un peu d'eau.

6 Verser la préparation dans un plat et parsemer de cacahuètes. Garnir avec de la coriandre et servir immédiatement.

Sauté de bœuf aux germes de soja

Cette savoureuse recette est très facile à préparer et constitue un excellent repas pour toutes les occasions. À accompagner d'une salade verte croquante.

VALEURS NUTRITIONNELLES

Calories 583   Glucides . . . . . .72 g
Protéines . . . . . .40 g   Lipides . . . . . . .22 g
Acides gras saturés. . . . . . .7 g

  10 min   15 à 20 min

4 personnes

I N G R É D I E N T S

1 botte d'oignons verts

2 cuil. à soupe d'huile de tournesol

1 gousse d'ail, hachée

1 cuil. à café de gingembre frais haché

500 g de filets de bœuf tendre, coupé en fines lanières

4 cuil. à soupe de lait de coco

1 gros poivron rouge, épépiné et coupé en tranches

1 petit piment rouge, épépiné et haché

350 g de germes de soja frais

1 petite tige de lemon-grass, hachée

1 cuil. à soupe de vinaigre de riz

2 cuil. à soupe de beurre de cacahuètes

1 cuil. à soupe de sauce de soja

1 cuil. à café de sucre roux

250 g de nouilles aux œufs moyennes

sel et poivre

1 Éplucher les oignons verts et les couper en fines rondelles. En réserver quelques-unes pour la garniture.

2 Faire chauffer l'huile dans un wok ou une sauteuse à feu vif. Mettre l'ail, l'oignon et le gingembre et faire revenir 2 à 3 minutes, jusqu'à ce qu'ils soient tendres. Ajouter les lanières de bœuf et faire revenir encore 4 à 5 minutes, jusqu'à ce que la viande soit dorée.

3 Ajouter le poivron et faire revenir encore 3 à 4 minutes. Ajouter le piment et les germes de soja et faire revenir 2 minutes. Dans une terrine, mélanger le lemon-grass, le beurre de cacahuètes, le lait de coco, le vinaigre, la sauce de soja et le sucre puis incorporer le mélange au contenu du wok ou de la sauteuse.

4 Pendant ce temps, faire cuire 4 minutes les nouilles aux œufs dans de l'eau bouillante légèrement salée ou selon les instructions figurant sur le paquet. Égoutter et incorporer au contenu du wok ou de la sauteuse en remuant.

5 Saler et poivrer à son goût. Garnir de rondelles d'oignons verts réservées et servir très chaud.

Satay de bœuf aux cacahuètes

Les recettes de satay varient selon les pays asiatiques, mais ces petites brochettes savoureuses sont une version classique de ce plat traditionnel.

VALEURS NUTRITIONNELLES

Calories 489   Glucides . . . . . .31 g
Protéines . . . . . .38 g   Lipides . . . . . . .31 g
Acides gras saturés. . . . . . .8 g

 20 min    (manquant) 10 à 15 min

4 personnes

I N G R É D I E N T S

500 g de filet de bœuf

2 gousses d'ail, hachées

1 morceau de gingembre frais de 2 cm, râpé

1 cuil. à soupe de sucre roux

1 cuil. à soupe de sauce de soja épaisse
    et de jus de citron vert

2 cuil. à café d'huile de sésame

1 cuil. à café de coriandre en poudre

1 cuil. à café de curcuma

½ cuil. à café de poudre de piment

concombre et poivrons rouges émincés,
    en accompagnement

S A U C E

½ petit oignon, râpé

300 ml de lait de coco

8 cuil. à soupe de beurre de cacahuètes
    avec des éclats de cacahuètes

2 cuil. à café de sucre roux

½ cuil. à café de poudre de piment

½ cuil. à soupe de sauce de soja épaisse

CONSEIL

Pour que le bœuf reste tendre et garde sa saveur, faites le cuire rapidement sur un gril très chaud.

1 À l'aide d'un couteau tranchant, couper les filets de bœuf en cubes de 1,5 cm et les mettre dans une grande terrine.

2 Ajouter l'ail, le gingembre, le sucre, la sauce de soja, le jus de citron vert, l'huile de sésame, la coriandre, le curcuma et la poudre de piment. Mélanger le tout pour bien recouvrir la viande. Couvrir et laisser mariner au réfrigérateur au moins 2 heures ou toute la nuit si possible.

3 Mettre tous les ingrédients de la sauce à la cacahuète dans une casserole et porter à ébullition à feu moyen sans cesser de remuer. Retirer du feu et réserver au chaud.

4 Piquer le bœuf sur des brochettes en bambou. Faire griller au barbecue, ou 3 à 5 minutes au gril préchauffé en retournant souvent, jusqu'à ce que les brochettes soient dorées. Servir avec la sauce aux cacahuètes, le concombre et le poivron rouge émincés.

Bœuf et poivrons au lemon-grass

Très rapide à réaliser, cette délicieuse recette marie le bœuf aux arômes de lemon-grass et de gingembre, tandis que les poivrons y ajoutent une touche de couleur.

VALEURS NUTRITIONNELLES

Calories 230   Glucides ......10 g
Protéines ......26 g   Lipides ....12 g
Acides gras saturés. . . . . . .3 g

10 à 15 min   10 min

4 personnes

INGRÉDIENTS

500 g de filets de bœuf

1 tige de lemon-grass, finement ciselé

1 oignon, finement émincé

1 morceau de gingembre frais de 2,5 cm, haché

1 poivron rouge, épépiné et coupé en fines lanières

1 poivron vert, épépiné et coupé en fines lanières

2 cuil. à soupe de jus de citron vert

2 cuil. à soupe d'huile

1 gousse d'ail, finement émincée

nouilles ou riz, en accompagnement

sel et poivre

1 Couper le bœuf en longues lanières, perpendiculairement aux fibres.

2 Faire chauffer l'huile à feu vif dans un wok ou une sauteuse et y faire revenir l'ail 1 minute.

3 Ajouter le bœuf, et faire revenir 2 à 3 minutes, jusqu'à ce qu'il soit juste coloré. Ajouter le lemon-grass et le gingembre en remuant et retirer le wok ou la sauteuse du feu.

4 Retirer la viande du wok ou de la sauteuse et réserver. Mettre l'oignon et les poivrons dans le wok et faire revenir 2 à 3 minutes à feu vif, jusqu'à ce qu'ils commencent à dorer et qu'ils soient juste tendres.

5 Remettre le bœuf dans le wok ou la sauteuse, ajouter le jus de citron vert, saler et poivrer. Servir accompagné de nouilles ou de riz.

CONSEIL

Lorsque vous préparez le lemon-grass, veillez à retirer les couches extérieures, qui peuvent être dures et fibreuses. N'utilisez que le cœur de la tige, c'est lui qui renferme toute la saveur du lemon-grass.

Bœuf piquant à la de noix de coco

Dans cette délicieuse recette parfumée, le lait de coco crémeux qui accompagne le riz et le bœuf adoucit le goût du piment.

VALEURS NUTRITIONNELLES

Calories 230   Glucides . . . . . .14 g
Protéines . . . . . .29 g   Lipides . . . . . . .10 g
Acides gras saturés. . . . . .3 g

 10 à 15 min   ⏱ 30 à 35 min

4 personnes

I N G R É D I E N T S

400 ml de lait de coco

2 cuil. à soupe de pâte de curry rouge

2 gousses d'ail, hachées

500 g de bœuf à braiser

2 feuilles de lime, ciselées

3 cuil. à soupe de jus de citron

2 cuil. à soupe de sauce de poisson thaïe

1 gros piment rouge, épépiné et émincé

½ cuil. à café de curcuma

½ cuil. à café de sel

sel et poivre

2 cuil. à soupe de feuilles de basilic fraîches, hachées

2 cuil. à soupe de feuilles de coriandre, hachées

copeaux de noix de coco, pour décorer

riz, en accompagnement

1 Verser le lait de coco dans une casserole et porter à ébullition. Réduire le feu et laisser mijoter 10 minutes à feu doux, jusqu'à épaississement. Incorporer la pâte de curry et l'ail et laisser mijoter encore 5 minutes.

2 Couper le bœuf en cubes de 2 cm, mettre dans la casserole et porter à ébullition, sans cesser de remuer. Réduire le feu et incorporer les feuilles de lime, le jus de citron, la sauce de poisson, le piment, le curcuma et le sel.

3 Couvrir et laisser mijoter 20 à 25 minutes, en ajoutant un peu d'eau à la sauce si elle réduit trop rapidement.

4 Ajouter le basilic, la coriandre, le sel, le poivre. Parsemer de copeaux de noix de coco et servir accompagné de riz.

CONSEIL

Utilisez de gros piments rouges doux, variétés Fresno ou Dutch par exemple, car ils donnent plus de couleur au plat. Si vous préférez utiliser des piments thaïs ou des piments oiseau, un seul suffira car ils sont beaucoup plus forts.

Porc rouge rôti

Le glaçage rouge de la viande, souvent utilisé dans la cuisine chinoise, apporte une touche de couleur à cette délicieuse recette.

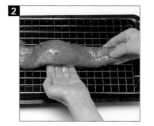

VALEURS NUTRITIONNELLES

Calories 270   Glucides . . . . . .12 g
Protéines . . . . . .34 g   Lipides . . . . . . .13 g
Acides gras saturés. . . . . . .4 g

 10 à 15 min   55 à 60 min

4 personnes

INGRÉDIENTS

600 g de filets de porc

chou chinois, coupé en lanières, en accompagnement

fleur de piment, en garniture

MARINADE

2 gousses d'ail, hachées

1 cuil. à soupe de sauce de poisson thaïe

1 cuil. à soupe de gingembre frais râpé

1 cuil. à soupe de sauce de soja claire

1 cuil. à soupe de vin de riz

1 cuil. à soupe de sauce hoisin

1 cuil. à soupe d'huile de sésame

1 cuil. à soupe de sucre de palme ou de sucre roux

½ cuil. à café poudre de cinq-épices

quelques gouttes de colorant alimentaire rouge
   (facultatif)

1 Mélanger tous les ingrédients de la marinade et badigeonner le porc avec le mélange. Placer la viande et la marinade dans un grand plat, couvrir et laisser mariner toute une nuit au réfrigérateur.

2 Placer une grille au-dessus d'une lèchefrite et remplir le plat à demi d'eau bouillante. Retirer le porc de la marinade et le disposer sur la grille. Réserver la marinade.

3 Faire rôtir 20 minutes à 240 °C (th. 8) au four préchauffé. Arroser de marinade puis réduire la température à 180 °C (th. 6). Laisser rôtir encore 35 à 40 minutes, en arrosant la viande de marinade de temps en temps, jusqu'à ce que le porc prenne une belle couleur rouge-brun et soit complètement cuit.

4 Couper le porc en tranches épaisses et servir sur un lit de chou chinois et décorer d'une fleur de piment.

CONSEIL

Le porc peut aussi être grillé. Découpez-le en lanières, laissez-les tremper dans la marinade, puis disposez-les dans un plat chemisé de papier d'aluminium et les faire griller sous un gril très chaud, en les retournant de temps en temps et en les arrosant de marinade.

Porc croustillant au sésame

Les cuisiniers thaïlandais parfument toujours la viande. Dans cette recette originale et délicieuse, l'ail et la sauce soja se marient à merveille avec le miel.

VALEURS NUTRITIONNELLES

Calories	322	Glucides	......18 g
Protéines	......35 g	Lipides	.......14 g
Acides gras saturés			.......4 g

15 min   40 à 45 min

4 personnes

I N G R É D I E N T S

2 filets de porc, d'environ 275 g chacun

2 cuil. à soupe de sauce de soja épaisse

2 cuil. à soupe de miel

2 gousses d'ail, hachées

1 cuil. à soupe de graines de sésame

1 cuil. à soupe de farine

1 oignon, coupé en fines rondelles

huile de tournesol, pour la friture

salade croquante, en accompagnement

1 Parer les filets de porc et les mettre dans un grand plat non métallique.

2 Mélanger la sauce de soja, le miel et l'ail dans une terrine. Badigeonner le porc avec le mélange de sorte qu'il soit bien enrobé.

3 Disposer le porc dans un plat à rôtir. Parsemer les filets de graines de sésame.

4 Faire rôtir le porc 20 minutes à 210 °C (th.7) au four préchauffé, en arrosant régulièrement la viande avec le jus de cuisson. Couvrir de papier d'aluminium pour que la viande ne brûle pas et laisser cuire encore 10 à 15 minutes, jusqu'à ce qu'elle soit complètement cuite.

5 Pendant ce temps, mettre la farine dans une terrine et y plonger les rondelles d'oignon. Faire chauffer l'huile et faire frire les oignons jusqu'à ce qu'ils soient dorés et croustillants, en les retournant de temps en temps. Servir le porc coupé en tranches avec les oignons et accompagner d'une salade croquante.

CONSEIL

Le porc est également excellent servi froid. Il convient parfaitement aux pique-niques, en particulier accompagné d'un condiment relevé au piment ou d'un sambal oelek.

Porc frit épicé

Cette savoureuse recette delicieusement relevée est idéale pour un repas en famille. Faites cuire les pâtes pendant que la viande mijote dans sa sauce.

VALEURS NUTRITIONNELLES

Calories 278   Glucides . . . . . . .4 g
Protéines . . . . . .28 g   Lipides . . . . . . .16 g
Acides gras saturés. . . . . .4 g

    10 min   15 à 20 min

4 personnes

I N G R É D I E N T S

2 gousses d'ail, hachées

3 échalotes

1 morceau de gingembre frais de 2,5 cm, râpé

2 cuil. à soupe d'huile de tournesol

500 g de viande de porc maigre hachée

1 cuil. à café de sauce de soja épaisse

1 cuil. à soupe de pâte de curry rouge

4 feuilles de lime séchées

4 tomates olivettes, concassées

2 cuil. à soupe de sauce de poisson thaïe

3 cuil. à soupe de feuilles de coriandre, hachées

sel et poivre

nouilles fines aux œufs, en accompagnement

feuilles de coriandre fraîche, en garniture

1 Éplucher et émincer finement l'ail et les échalotes, et hacher le gingembre. Faire chauffer l'huile dans un wok ou une sauteuse à feu moyen. Mettre l'ail, les échalotes et le gingembre et faire revenir environ 2 minutes. Ajouter le porc et faire cuire sans cesser de remuer, jusqu'à ce que la viande soit dorée.

2 Incorporer la sauce de poisson, la pâte de curry rouge et les feuilles de lime et faire cuire encore 1 à 2 minutes à feu vif.

3 Ajouter les tomates et laisser cuire encore 5 à 6 minutes, en remuant de temps en temps.

4 Ajouter la coriandre, saler et poivrer à son goût. Disposer au centre d'un plat de nouilles aux œufs et garnir de feuilles de coriandre fraîche.

CONSEIL

Les feuilles de lime séchées sont très pratiques car elles peuvent être ajoutées directement dans des recettes rapides comme celle-ci. Si vous préférez utiliser des feuilles fraîches, coupez-les en fines lanières et ajoutez-les au plat.

Curry rouge d'agneau

Dans cette recette, la pâte de curry rouge à base de piments séchés, est utilisée pour donner une saveur relevée et une chaude couleur rousse.

VALEURS NUTRITIONNELLES

Calories 363   Glucides . . . . . .32 g
Protéines . . . . . .29 g   Lipides . . . . . . .19 g
Acides gras saturés. . . . . . .6 g

 15 à 20 min   30 à 35 min

4 personnes

INGRÉDIENTS

500 g de gigot d'agneau, désossé

2 cuil. à soupe d'huile

1 gros oignon, émincé

2 gousses d'ail, hachées

2 cuil. à soupe de pâte de curry rouge

150 ml de lait de coco

1 cuil. à soupe de sucre roux

1 gros poivron rouge, épépiné
    et coupé en rondelles épaisses

125 ml de bouillon de bœuf ou d'agneau

1 cuil. à soupe de sauce de poisson thaïe

2 cuil. à soupe de jus de citron vert

1 boîte de 225 g de châtaignes d'eau, égouttées

2 cuil. à soupe de feuilles de coriandre, hachées

2 cuil. à soupe de feuilles de basilic frais, hachées

sel et poivre

riz au jasmin, en accompagnement

feuilles de basilic frais, en garniture

CONSEIL

Ce plat peut être préparé avec d'autres viandes rouges maigres. Remplacez l'agneau par des magrets de canard dégraissés ou du bœuf à braiser.

1 Parer la viande et la couper en cubes de 3 cm. Faire chauffer l'huile dans un wok ou une sauteuse à feu vif et faire revenir l'ail et l'oignon 2 à 3 minutes pour les faire fondre. Ajouter la viande et faire revenir jusqu'à ce qu'elle commence à dorer.

2 Ajouter la pâte de curry et faire cuire quelques secondes sans cesser de remuer. Ajouter le lait de coco et le sucre et porter à ébullition. Réduire le feu et laisser mijoter le tout 15 minutes, en remuant de temps en temps.

3 Ajouter le poivron rouge à la préparation. Ajouter le bouillon, le jus de citron vert et la sauce de poisson. Couvrir et laisser mijoter encore 15 minutes.

4 Ajouter les châtaignes d'eau, la coriandre et le basilic. Garnir de feuilles de basilic frais et servir accompagné de riz au jasmin.

Sauté de poulet à la mangue

Délice de saveurs exotiques et véritable régal pour les yeux, cette recette originale et simple à réaliser constitue une excellente idée pour un repas en famille.

VALEURS NUTRITIONNELLES

Calories 200	Glucides . . . . . .12 g	
Protéines . . . . . .23 g	Lipides . . . . .6 g	
Acides gras saturés. . . . . . .1 g		

15 min   10 à 15 min

4 personnes

I N G R É D I E N T S

6 cuisses de poulet, désossées et sans la peau

1 morceau de gingembre frais de 2,5 cm, râpé

1 gousse d'ail, hachée

1 petit piment rouge, épépiné

1 gros poivron rouge, épépiné

4 oignons verts

200 g de pois mange-tout

100 g de mini-épis de maïs

1 grosse mangue mûre

2 cuil. à soupe d'huile de tournesol

1 cuil. à café d'huile de sésame

1 cuil. à soupe de sauce de soja claire

3 cuil. à soupe de vin de riz ou de xérès sec

sel et poivre

ciboulette hachée, en garniture

1 À l'aide d'un couteau tranchant, couper le poulet en longues lanières fines et les mettre dans une terrine. Mélanger l'ail, le gingembre, et le piment et verser sur le poulet de sorte qu'il soit bien enrobé.

2 Couper les mini-épis de maïs et les pois mange-tout en deux en biais. Peler la mangue, en retirer le noyau et la couper en tranches fines.

3 Mettre l'huile dans une sauteuse ou un wok et faire chauffer à feu vif. Incorporer le poulet et le faire revenir 4 à 5 minutes, jusqu'à ce qu'il commence à dorer. Ajouter le poivron rouge et faire cuire 4 à 5 minutes à feu moyen, jusqu'à ce qu'il soit tendre.

4 Ajouter les oignons verts, les mini-épis de maïs et les pois mange-tout à la préparation et faire cuire encore 1 minute à feu moyen.

5 Mélanger 1 cuillerée à soupe de sauce de soja, le vin de riz ou le xérès et l'huile de sésame dans un bol. Ajouter ce mélange au wok. Incorporer la mangue et bien remuer 1 minute pour la faire chauffer.

6 Saler, poivrer selon son goût, garnir de ciboulette hachée. Servir immédiatement.

Poulet à la coriandre

Ces savoureux blancs de poulet marinés, parfumés de zeste de citron vert et de coriandre seront délicieux accompagnés de riz.

VALEURS NUTRITIONNELLES

Calories 171   Glucides . . . . . .17 g
Protéines . . . . . .31 g   Lipides . . . . .2 g
Acides gras saturés. . . . . .0,5 g

 15 min   15 à 20 min

4 personnes

INGRÉDIENTS

4 blancs de poulet sans la peau

2 gousses d'ail, pelées

1 piment vert frais, épépiné

1 morceau de gingembre frais de 2 cm, pelé

4 cuil. à soupe de feuilles de coriandre, hachées

zeste râpé d'un citron vert

3 cuil. à soupe de jus de citron vert

175 ml de lait de coco

2 cuil. à soupe de sauce de soja claire

1 cuil. à soupe de sucre en poudre

riz, en accompagnement

tranches de concombre et de radis, en garniture

1 À l'aide d'un couteau tranchant, pratiquer 3 entailles dans chaque blanc de poulet. Disposer les blancs de poulet en une seule couche dans un large plat non métallique.

2 Dans un robot de cuisine, mixer l'ail, le piment, le gingembre, la coriandre, le zeste et le jus de citron vert, la sauce de soja, le sucre en poudre et le lait de coco, jusqu'à obtention d'un mélange homogène et lisse.

3 Verser la préparation sur les blancs de poulet pour qu'ils soient uniformément recouverts. Couvrir et laisser mariner environ 1 heure au réfrigérateur.

4 Retirer le poulet de la marinade, égoutter et placer sur une feuille de papier sulfurisé. Faire griller 12 à 15 minutes au gril préchauffé jusqu'à ce qu'il soit bien cuit.

5 Pendant ce temps, verser le reste de marinade dans une casserole et porter à ébullition. Réduire le feu et laisser mijoter quelques minutes, jusqu'à qu'elle soit bien réchauffée. Servir avec les blancs de poulet accompagnés de riz. Garnir de tranches de concombre et de radis.

Poulet au curry vert

Dans cette succulente recette, le riz et le lait de coco adoucissent le goût du curry vert et se marient parfaitement avec le poulet.

VALEURS NUTRITIONNELLES

Calories 193   Glucides . . . . . .18 g
Protéines . . . . . .22 g   Lipides . . . . .8 g
Acides gras saturés. . . . . . .1 g

 10 min   45 à 50 min

4 personnes

INGRÉDIENTS

6 cuisses de poulet désossées et sans la peau

400 ml de lait de coco

2 gousses d'ail, hachées

2 cuil. à soupe de sauce de poisson thaïe
  et de pâte de curry vert

12 aubergines naines

3 piments verts, hachés

3 feuilles de lime, ciselées

4 cuil. à soupe de feuilles de coriandre, hachées

sel et poivre

riz, en accompagnement

1 Couper les cuisses de poulet en cubes. Verser le lait de coco dans un wok ou une grande sauteuse et porter à ébullition à feu vif.

2 Ajouter le poulet, l'ail et la sauce de poisson, et porter de nouveau à ébullition. Réduire le feu et laisser mijoter 30 minutes à feu doux, jusqu'à ce que le poulet soit tendre.

3 À l'aide d'une écumoire, retirer le poulet du wok ou de la sauteuse et réserver au chaud.

4 Incorporer la pâte de curry au contenu du wok ou de la sauteuse, puis ajouter les aubergines, le piment et les feuilles de lime, et laisser mijoter 5 minutes.

5 Remettre le poulet dans le wok ou la sauteuse et porter de nouveau à ébullition. Saler et poivrer selon son goût. Ajouter les feuilles de coriandre hachée en remuant. Servir accompagné de riz nature.

CONSEIL
Les aubergines naines, également appelées « pommes thaïes », utilisées dans ce plat, ne sont pas faciles à trouver en Occident. Vous pouvez les remplacer par des aubergines japonaises, une variété plus petite et plus fade, coupées en petits morceaux.

Magrets de canard laqués

Le canard est une viande qui se prête parfaitement aux saveurs relevées.
Dans cette recette, il est enrobé d'une savoureuse marinade qui le rend irrésistible.

VALEURS NUTRITIONNELLES

Calories 264   Glucides . . . . . .14 g
Protéines . . . . . .30 g   Lipides . . . . . . .11 g
Acides gras saturés. . . . . . .3 g

🧈 🧈

🧈 20 min   🕐 10 à 15 min

4 personnes

I N G R É D I E N T S

4 magrets de canard

2 gousses d'ail, hachées

4 cuil. à café de sucre roux

3 cuil. à soupe de jus de citron vert

1 cuil. à soupe de sauce de soja claire

1 cuil. à café de sauce au piment

1 cuil. à café d'huile

2 cuil. à soupe de confiture de prunes

125 ml de bouillon de poulet

sel et poivre

1 À l'aide d'un couteau tranchant, pratiquer de profondes entailles dans la peau des magrets de manière à dessiner un damier. Disposer les magrets dans un grand plat non métallique.

2 Mélanger l'ail, le sucre, le jus de citron vert, la sauce au piment et la sauce de soja, et verser ce mélange dans le plat de manière à bien enrober le canard. Couvrir le plat de film alimentaire et laisser mariner au moins 3 heures au réfrigérateur, ou toute une nuit si possible.

3 Égoutter le canard en réservant la marinade. Faire chauffer une poêle à fond épais jusqu'à ce qu'elle soit très chaude et la graisser avec un peu d'huile. Cuire les magrets, côté peau, 4 à 5 minutes jusqu'à ce que la peau soit dorée et croustillante. Retirer l'excédent de graisse. Retourner les magrets.

4 Laisser cuire l'autre face 2 à 3 minutes jusqu'à ce qu'elle soit dorée. Ajouter la marinade, la confiture de prunes et le bouillon, et laisser mijoter 2 minutes. Saler, poivrer et servir chaud arrosé de jus de cuisson.

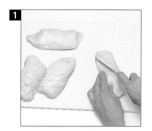

CONSEIL

Si vous souhaitez limiter la quantité de matière grasse, retirez la peau des magrets avant de les faire cuire et réduisez légèrement le temps de cuisson.

Canard croustillant aux nouilles

Cette délicieuse recette riche en goût et nourrissante constitue un excellent repas.
Vous pouvez accompagner le canard de légumes sautés ou d'une salade de concombres.

VALEURS NUTRITIONNELLES

Calories . . . . . . .433 Glucides . . . . . .66 g

Protéines . . . . . .25 g Lipides . . . . . . .10 g

Acides gras saturés. . . . . . .2 g

🦆 🦆

🍽 15 min   🕐 20 à 25 min

4 personnes

I N G R É D I E N T S

3 magrets de canard, d'environ 400 g au total

2 gousses d'ail, hachées

1 cuil. à café ½ de pâte de piment

1 cuil. à soupe de miel

3 cuil. à soupe de sauce de soja épaisse

½ cuil. à café de poudre de cinq-épices

250 g de nouilles de riz

1 cuil. à café d'huile

1 cuil. à café d'huile de sésame

2 oignons verts, émincés

100 g de pois mange-tout

2 cuil. à soupe de jus de tamarin

graines de sésame, en garniture

1 Piquer la peau des magrets avec la pointe d'une fourchette et les placer dans un plat profond.

2 Mélanger l'ail avec le piment, la sauce de soja, le miel et la poudre de cinq épices et verser le mélange sur le canard. Tourner les magrets de manière à ce qu'ils soient bien recouverts, couvrir et laisser mariner 1 heure minimum au réfrigérateur.

3 Pendant ce temps, faire tremper les nouilles 15 minutes dans l'eau chaude. Égoutter soigneusement.

4 Retirer les magrets de canard de la marinade en les égouttant et les faire griller environ 10 minutes à feu vif, en les tournant de temps en temps, jusqu'à ce qu'ils soient bien dorés. Les retirer du gril et les couper en tranches fines.

5 Faire chauffer l'huile et l'huile de sésame dans une sauteuse et y faire revenir l'oignon vert et les pois mange-tout 2 minutes. Arroser de marinade et de jus de tamarin et porter à ébullition.

6 Ajouter les tranches de canard et les nouilles en remuant de sorte à bien chauffer tous les ingrédients. Garnir de graines de sésame et servir immédiatement.

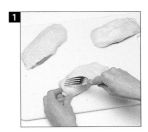

Curry vert de poisson

Cette pâte de curry vert peut accompagner de multiples recettes thaïlandaises.
Elle est aussi délicieuse associée au poulet qu'au bœuf.

VALEURS NUTRITIONNELLES

Calories 217   Glucides . . . . . . .8 g
Protéines . . . . . .12 g   Lipides . . . . . . .17 g
Acides gras saturés. . . . . .10 g

 20 min   🕐 15 min

4 personnes

I N G R É D I E N T S

2 cuil. à soupe d'huile

1 gousse d'ail, hachée

1 petite aubergine, coupée en dés

125 ml de crème de coco

2 cuil. à soupe de sauce de poisson thaïe

1 cuil. à café de sucre

225 g de poisson blanc à chair ferme,
    coupé en morceaux (cabillaud, colin, flétan…)

125 ml de bouillon de poisson

2 feuilles de lime, finement ciselées

une quinzaine de feuilles de basilic thaïlandais,
    si disponible, ou de basilic ordinaire

riz ou nouilles, en accompagnement

P Â T E   D E   C U R R Y   V E R T

5 piments verts frais, épépinés et hachés

2 cuil. à café de lemon-grass haché

1 grosse échalote, hachée

2 gousses d'ail, hachées

1 cuil. à café de gingembre frais ou de galanga râpé

2 racines de coriandre, hachées

½ cuil. à café de cumin en poudre

½ cuil. à café de coriandre en poudre

1 feuille de lime kafir, finement hachée

1 cuil. à café de pâte de crevettes (facultatif)

½ cuil. à café de sel

1 Pour la pâte de curry, mettre tous les ingrédients dans un mixeur ou un moulin à épices et mixer jusqu'à obtention d'une pâte homogène, en ajoutant un peu d'eau si nécessaire. Réserver.

2 Dans une sauteuse, chauffer l'huile et ajouter l'ail. Faire blondir à feu moyen. Ajouter la pâte de curry et faire revenir quelques secondes, puis ajouter l'aubergine. Faire revenir encore 4 à 5 minutes.

3 Ajouter la crème de coco. Porter à ébullition et remuer jusqu'à ce qu'elle commence à épaissir. Ajouter la sauce de poisson et le sucre, bien mélanger.

4 Incorporer le poisson et mouiller avec le bouillon. Laisser mijoter 3 à 4 minutes, jusqu'à ce que le poisson soit tendre. Ajouter les feuilles de lime et le basilic et faire cuire encore 1 minute. Servir avec du riz ou des nouilles cuits à l'eau.

Curry rouge de crevettes

Comme tous les curry thaïs, celui-ci est préparé à base de pâte de piment et d'épices variées, et de lait de coco.

VALEURS NUTRITIONNELLES

Calories 149   Glucides . . . . . .10 g
Protéines . . . . . .15 g   Lipides . . . . .7 g
Acides gras saturés. . . . . . .1 g

15 à 20 min   15 à 20 min

4 personnes

INGRÉDIENTS

2 cuil. à soupe d'huile

1 gousse d'ail, finement hachée

200 ml de lait de coco

2 cuil. à soupe de sauce de poisson thaïe

1 cuil. à café de sucre

12 crevettes royales crues, décortiquées
   et déveinées

1 petit piment rouge, épépiné et finement émincé

2 feuilles de lime, finement ciselées

10 feuilles de basilic thaïlandais, si disponible
   ou de basilic ordinaire

PÂTE DE CURRY ROUGE

3 piments rouges séchés

½ cuil. à café de coriandre

¼ de cuil. à café de cumin en poudre

½ cuil. à café de poivre moulu

2 gousses d'ail, hachées

2 tiges de lemon-grass, hachées

1 feuille de lime kafir, finement ciselée

1 cuil. à café de gingembre frais ou de galanga râpé

1 cuil. à café de pâte de crevettes (facultatif)

½ cuil. à café de sel

1 Pour la pâte de curry rouge, mettre les ingrédients correspondant dans un robot de cuisine et mixer jusqu'à obtention d'une pâte homogène, en ajoutant un peu d'eau si nécessaire. Réserver.

2 Chauffer l'huile dans un wok ou une sauteuse, ajouter l'ail et faire blondir. Ajouter 1 cuillerée à soupe de pâte de curry et faire revenir 1 minute. Ajouter la moitié du lait de coco, la sauce de poisson thaïe et le sucre.

Mélanger jusqu'à ce que le tout épaississe légèrement.

3 Ajouter les crevettes et laisser mijoter 3 à 4 minutes à feu doux. Ajouter le reste de lait de coco, les feuilles de lime et le piment rouge. Cuire à feu doux 2 à 3 minutes jusqu'à ce que les crevettes soient tendres.

4 Ajouter les feuilles de basilic, remuer jusqu'à ce qu'elles soient flétries et servir.

Riz au coco et à la lotte

Une savoureuse recette de riz cuit dans du lait de coco, accompagné de lotte délicatement relevée et de petits pois frais.

VALEURS NUTRITIONNELLES

Calories 440   Glucides . . . . . .68 g
Protéines . . . . . .22 g   Lipides . . . . . . .14 g
Acides gras saturés. . . . . . .2 g

10 à 15 min   35 min

4 personnes

INGRÉDIENTS

1 piment rouge fort, épépiné et haché

1 cuil. à café de flocons de piment écrasés

2 pincées de safran

3 cuil. à soupe de feuilles de menthe
grossièrement hachées

4 cuil. à soupe d'huile d'olive

2 cuil. à soupe de jus de citron

375 g de filet de lotte, découpé en cubes

1 oignon, finement haché

225 g de riz long grain

2 gousses d'ail, hachées

400 g de tomates en boîte, concassées

200 ml de lait de coco

115 g de petits pois

sel et poivre

2 cuil. à soupe de coriandre fraîche hachée,
en garniture

1 Mettre le piment rouge, les flocons de piment, l'ail, le safran, les feuilles de menthe, l'huile d'olive et le jus de citron dans un robot de cuisine et hacher le tout moyennement fin.

2 Mettre la lotte dans un plat non métallique et recouvrir de pâte de piment. Bien mélanger. Couvrir de film alimentaire et laisser mariner 20 minutes.

3 Faire chauffer à feu très vif une grande casserole à fond épais. Sortir la lotte de la marinade à l'aide d'une écumoire et l'ajouter, en plusieurs fois, dans la casserole brûlante. Cuire 3 à 4 minutes jusqu'à ce que la lotte soit colorée et ferme. Retirer à l'aide d'une écumoire et réserver.

4 Ajouter l'oignon et la marinade dans la casserole et faire blondir 5 minutes à feu doux. Ajouter le riz et bien mélanger. Incorporer les tomates et le lait de coco. Porter à ébullition, couvrir et laisser mijoter 15 minutes à feu très doux. Incorporer les petits pois, saler, poivrer et recouvrir du poisson. Couvrir de papier d'aluminium et cuire 5 minutes à feu doux. Garnir de coriandre hachée et servir immédiatement.

Filets de poisson à la vapeur

La Thaïlande regorge de poissons frais, qui constituent l'essentiel de l'alimentation des habitants. Les plats tels que ces filets à la vapeur sont très prisés.

VALEURS NUTRITIONNELLES

Calories ....165 Glucides ......14 g
Protéines ......23 g Lipides ....2 g
Acides gras saturés. ......1 g

   15 à 20 min 12 à 15 min

4 personnes

I N G R É D I E N T S

500 g de filets de poisson, de vivaneau,
de plie ou de baudroie par exemple

1 piment oiseau rouge séché

1 petit oignon, émincé

3 gousses d'ail, hachées

2 brins de coriandre fraîche

1 cuil. à café de graines de coriandre

½ cuil. à café de curcuma

½ cuil. à café de poivre noir moulu

1 cuil. à soupe de sauce de poisson thaïe

2 cuil. à soupe de lait de coco

1 petit œuf, battu

2 cuil. à soupe de farine de riz

sauce de soja ou salade, en accompagnement

1 Retirer la peau des filets de poisson et les couper en lanières obliques de 2 cm de large.

2 Dans un mortier, piler le piment, l'oignon, l'ail, la coriandre et les graines de coriandre jusqu'à obtention d'une pâte lisse et homogène.

3 Incorporer le curcuma, le poivre, la sauce de poisson, le lait de coco et l'œuf battu et bien mélanger.

4 Tremper les lanières de poisson dans la préparation au piment, puis dans la farine de riz.

5 Dans un bain-marie, porter de l'eau à ébullition et disposer les filets dans un panier à étuver. Couvrir et faire cuire 12 à 15 minutes à la vapeur, jusqu'à ce que le poisson soit juste ferme.

6 Servir le poisson accompagné de sauce de soja et de légumes frais ou d'une salade.

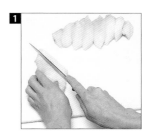

CONSEIL

Improvisez un panier à étuver en plaçant une passoire métallique au-dessus d'une casserole d'eau bouillante et couvrez d'une assiette retournée pour que la vapeur cuise au mieux le poisson.

Poisson en papillote au poivron

Presque tous les poissons peuvent être préparés de cette manière mais le vivaneau, le bar ou le saint-pierre se marient particulièrement bien avec les saveurs thaïes.

VALEURS NUTRITIONNELLES

Calories . . . . . . .267 Glucides . . . . . .20 g
Protéines . . . . .38 g Lipides . . . . . . .8 g
Acides gras saturés. . . . . .2 g

  10 à 15 min   40 à 45 min

4 personnes

INGRÉDIENTS

1 poignée de feuilles de basilic fraîches

1 poisson entier de 750 g
  (vivaneau, bar ou saint-pierre), vidé

2 cuil. à soupe d'huile d'arachide

2 cuil. à soupe de sauce de poisson thaïe

2 gousses d'ail, hachées

1 cuil. à café de galanga ou de gingembre frais,
  finement râpé

2 gros piments rouges frais, coupés en biais

1 poivron jaune, épépiné et coupé en dés

1 cuil. à soupe de vinaigre de riz

1 cuil. à soupe de sucre de palme

2 cuil. à soupe d'eau ou de bouillon de poisson

2 tomates, épépinées et coupées en quartiers

1 Réserver des feuilles de basilic et utiliser le reste pour farcir le poisson.

CONSEIL

Les gros piments rouges sont moins forts que les piments oiseau ; vous pouvez donc en ajouter plus librement pour donner un goût délicatement épicé. Vous pouvez les épépiner si vous préférez.

2 Faire chauffer une cuillerée à soupe d'huile dans une grande poêle et faire frire le poisson. Disposer sur une grande feuille de papier d'aluminium dans un plat à rôtir et arroser de sauce de poisson. Fermer la papillote et cuire au four préchauffé, à 190 °C (th 6-7), 25 à 30 minutes.

3 Mettre le reste d'huile dans une poêle et faire revenir les gousses d'ail hachées, le galanga et le piment 30 secondes. Ajouter les dés de poivron jaune et faire cuire le tout 2 à 3 minutes.

4 Ajouter le sucre, le vinaigre de riz et l'eau puis ajouter les tomates et porter à ébullition. Retirer du feu.

5 Disposer le poisson dans un plat de service chaud. Incorporer le jus de cuisson aux ingrédients de la poêle puis verser sur le poisson, parsemer de feuilles de basilic. Servir.

Cabillaud pané cuit au four

Une recette facile et économique qui peut faire de n'importe quel poisson blanc un délicieux mets exotique.

VALEURS NUTRITIONNELLES

Calories 223   Glucides ......17 g
Protéines ......31 g   Lipides ....4 g
Acides gras saturés. . . . . . .0,1 g

10 à 15 min   35 à 40 min

4 personnes

I N G R É D I E N T S

4 filets de cabillaud, d'environ 150 g chacun

80 g de chapelure blanche

2 cuil. à soupe d'amandes mondées, concassées

2 cuil. à café de pâte de curry vert thaïe

zeste d'un demi-citron vert, finement râpé

½ cuil. à café d'huile de sésame

sel et poivre

pommes de terre nouvelles cuites à l'eau, en accompagnement

quartiers et zeste de citron vert et feuilles de salade verte, en garniture

1 Avec l'huile de sésame, graisser le fond d'un grand plat à rôti, puis mettre les morceaux de cabillaud en une seule couche.

2 Bien mélanger la chapelure, les amandes, la pâte de curry verte et le zeste de citron râpé dans une terrine. Saler et poivrer.

3 Étaler ce mélange sur les filets de cabillaud en pressant légèrement pour qu'il adhère au poisson.

4 Sans couvrir, placer le plat au four préchauffé et faire cuire le poisson 35 à 40 minutes, à 210 °C (th. 7), jusqu'à ce que le poisson soit complètement cuit et la panure bien dorée.

5 Garnir de feuilles de salade verte, de quartiers et de zeste de citron vert. Servir chaud accompagné de pommes de terre nouvelles cuites à l'eau.

CONSEIL

Pour vérifier que le poisson est bien cuit, utilisez une fourchette pour le piquer en sa partie la plus charnue. Si la chair est blanche et se délite facilement, la cuisson est terminée.

Thon à la sauce aigre-douce

La consistance du thon se rapproche de celle de la viande. Vous pouvez également utiliser du maquereau ou du petit requin pour réaliser cette délicieuse recette.

VALEURS NUTRITIONNELLES

Calories . . . . . . .303 Glucides . . . . . .32 g
Protéines . . . . . .31 g Lipides . . . . . . .12 g
Acides gras saturés. . . . . . .3 g

 10 min   15 à 20 min

4 personnes

INGRÉDIENTS

4 steaks de thon frais, d'environ 500 g au total

¼ de cuil. à café de poivre noir moulu

2 cuil. à soupe d'huile d'arachide

1 oignon, coupé en dés

1 petit poivron rouge, épépiné et coupé en julienne

1 gousse d'ail, hachée

½ concombre, épépiné et coupé en julienne

2 tranches d'ananas, coupées en dés

1 cuil. à café de gingembre frais haché

1 cuil. à soupe de sucre roux

1 cuil. à soupe de maïzena

1 cuil. à soupe ½ de jus de citron vert

250 ml de bouillon de poisson

1 cuil. à soupe de sauce de poisson

GARNITURE

rondelles de citron vert

rondelles de concombre

1 Poivrer les steaks de thon sur leurs 2 faces. Faire chauffer un gril en fonte à fond rainuré ou une grande poêle et graisser les steaks de thon avec un peu d'huile. Faire cuire 8 minutes, en les retournant 1 fois.

2 Dans une casserole, faire chauffer le reste d'huile et y faire revenir l'oignon, le poivre et l'ail 3 à 4 minutes à feu doux.

3 Retirer du feu et incorporer le concombre, l'ananas, le gingembre et le sucre en remuant.

4 Délayer la maïzena dans le jus de citron vert et la sauce de poisson et verser le tout dans la casserole. Faire chauffer à feu moyen sans cesser de remuer jusqu'à ébullition, puis laisser cuire 1 à 2 minutes jusqu'à ce que le mélange épaississe et soit onctueux.

5 Verser la sauce sur le thon, garnir de concombre et de rondelles de citron vert, et servir.

CONSEIL
Le thon se déguste juste cuit, il peut devenir sec si la cuisson est trop longue.

Saumon épicé à la thaïlandaise

Mariné dans de délicates épices thaïes et doré à la perfection, cette délicieuse recette de filets de saumon est idéale pour une occasion spéciale.

VALEURS NUTRITIONNELLES

Calories 329   Glucides . . . . .0,2 g
Protéines . . . . . .30 g   Lipides . . . . . . .23 g
Acides gras saturés. . . . . . .4 g

  10 min   🕐 4 à 5 min

4 personnes

I N G R É D I E N T S

1 morceau de gingembre frais, râpé

1 cuil. à café de graines de coriandre, écrasées

¼ de cuil. à café de poudre de piment

1 cuil. à soupe de jus de citron vert

1 cuil. à café d'huile de sésame

4 filets de saumon avec la peau,
    d'environ 150 g chacun

2 cuil. à soupe d'huile

riz et légumes sautés, en accompagnement

1 Mélanger le gingembre avec la coriandre, le piment, le jus de citron vert et l'huile de sésame.

2 Placer le saumon dans un grand plat non métallique, verser la préparation au gingembre sur la chair du poisson, en badigeonnant chaque filet de façon uniforme.

3 Couvrir le plat de film alimentaire et réserver 30 minutes au réfrigérateur.

4 Faire chauffer l'huile à feu vif dans une grande poêle à fond épais. Mettre le saumon dans la poêle, la peau en dessous.

5 Laisser cuire le poisson 4 à 5 minutes, sans le retourner, jusqu'à ce qu'il soit croustillant dessous et que la chair s'émiette facilement. Accompagner de riz ou de légumes sautés et servir immédiatement tant que le poisson est chaud.

CONSEIL

Pour éviter que le poisson n'accroche, utilisez une poêle à fond épais ou un gril en fonte à fond rainuré. Si le poisson est très épais, tournez-le et faites cuire l'autre côté 2 à 3 minutes.

Curry rouge de saumon en papillotes

Les feuilles de bananier sont d'usage courant dans la cuisine thaïe pour enrouler
les ingrédients crus avant de les faire cuire au four ou à la vapeur.

VALEURS NUTRITIONNELLES

Calories 351   Glucides . . . . . .12 g
Protéines . . . . . .36 g   Lipides . . . . . . .20 g
Acides gras saturés. . . . . .3 g

🧊 15 min   🕐 15 à 20 min

4 personnes

INGRÉDIENTS

4 filets de saumon, d'environ 175 g chacun

2 feuilles de bananier, coupées en deux

1 gousse d'ail, hachée

1 cuil. à café de sucre roux

1 cuil. à café de gingembre frais râpé

1 cuil. à soupe de pâte de curry rouge thaïe

1 cuil. à soupe de sauce de poisson thaïe

2 cuil. à soupe de jus de citron vert

GARNITURE

quartiers de citron vert

piment rouge, finement haché

CONSEIL

Les feuilles de bananier sont souvent
vendues en sachets de plusieurs
feuilles. Si vous en achetez plus que
nécessaire, vous pouvez les conserver
1 semaine au réfrigérateur.

1 Placer les filets de saumon au centre de chaque demi-feuille de bananier.

2 Mélanger l'ail avec le gingembre, la pâte de curry, le sucre et la sauce de poisson. Badigeonner le poisson du mélange et arroser de jus de citron vert.

3 Envelopper les poissons dans les feuilles de bananier, en repliant les côtés les uns sur les autres, pour former des papillotes. Les maintenir fermées avec une pique à cocktail.

4 Placer les papillotes, jointure vers le bas, sur une feuille de papier sulfurisé et faire cuire 15 à 20 minutes à 220 °C (th. 7-8) au four préchauffé. Garnir de quartiers de citron vert et de piment haché. Servir.

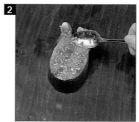

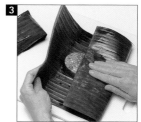

Sauté de calmars sauce pimentée

Le mode de cuisson adopté dans cette recette est idéal pour les calmars, car trop cuits, ils risquent de durcir. Cela permet aussi de préserver les arômes des ingrédients.

VALEURS NUTRITIONNELLES

Calories 245   Glucides . . . . . .20 g
Protéines . . . . . .32 g   Lipides . . . . .7 g
Acides gras saturés. . . . . . .1 g

 15 min   5 à 10 min

4 personnes

I N G R É D I E N T S

750 g de calmars, nettoyés

1 gros poivron rouge, épépiné

85 g de pois mange-tout, parés

1 chou chinois

3 cuil. à soupe de sauce aux haricots noirs

1 cuil. à soupe de sauce de poisson thaïe

1 cuil. à soupe de vin de riz

1 cuil. à soupe de sauce de soja épaisse

1 cuil. à café de sucre roux

1 cuil. à café de maïzena

1 cuil. à soupe d'eau

1 cuil. à soupe d'huile de tournesol

1 cuil. à café d'huile de sésame

1 gousse d'ail, finement émincée

1 petit piment oiseau rouge, émincé

1 cuil. à café de gingembre frais râpé

2 oignons verts, émincés

1 Jeter les tentacules des calmars. Couper le corps en 4 dans la longueur. Avec la pointe d'un couteau tranchant, pratiquer des entailles en forme de damier sur les calmars, sans transpercer la chair. Sécher sur du papier absorbant.

2 Couper le poivron en longues tranches fines. Couper les pois en deux et en biais. Râper grossièrement le chou chinois.

3 Mélanger la sauce aux haricots noirs avec la sauce de poisson, le vin de riz, la sauce de soja et le sucre. Délayer la maïzena dans l'eau et incorporer la pâte obtenue à la sauce. Réserver.

4 Faire chauffer les huiles dans un wok. Mettre l'ail, le piment, le gingembre et l'oignon vert, et faire revenir environ 1 minute. Ajouter le poivron et faire revenir encore 2 minutes.

5 Ajouter les calmars et faire revenir encore 1 minute à feu vif. Incorporer les pois et le chou chinois, et faire cuire encore 1 minute, sans cesser de remuer, jusqu'à ce que le chou soit flétri.

6 Incorporer la sauce et faire cuire environ 2 minutes sans cesser de remuer, jusqu'à ce que la sauce épaississe et soit onctueuse. Servir immédiatement.

Noix de Saint-Jacques au citron vert

Pour cette recette, il suffit de faire légèrement revenir de fraîches noix de Saint-Jacques pour qu'elles conservent leur consistance si savoureuse et délicate.

VALEURS NUTRITIONNELLES

Calories . . . . . . .145 Glucides . . . . . . .5 g
Protéines . . . . . .17 g Lipides . . . . .7 g
Acides gras saturés. . . . . .3 g

  15 min   7 à 8 min

4 personnes

INGRÉDIENTS

16 grosses noix de Saint-Jacques

1 cuil. à soupe de beurre et d'huile

1 cuil. à café d'ail haché et de gingembre frais râpé

zeste de citron vert, râpé

1 botte d'oignons verts, finement émincés

1 petit piment rouge, épépiné et très finement haché

3 cuil. à soupe de jus de citron vert

sel et poivre

ACCOMPAGNEMENT

rondelles de citron vert

riz

1 Nettoyer les noix de Saint-Jacques en prenant soin de retirer les intestins, de couleur noire. Laver et sécher sur du papier absorbant. Détacher le corail du blanc, couper les blancs en deux dans l'épaisseur pour obtenir deux rondelles.

2 Faire chauffer l'huile et le beurre dans un wok ou une sauteuse. Mettre l'ail et le gingembre et faire revenir 1 minute sans les laisser roussir. Ajouter l'oignon vert et faire revenir encore 1 minute.

3 Ajouter les rondelles de noix de Saint-Jacques et faire revenir 4 à 5 minutes à feu vif. Ajouter le zeste de citron, le piment et le jus de citron vert et laisser cuire 1 minute.

4 Servir les noix chaudes, en les arrosant du jus de cuisson, accompagnées de rondelles de citron vert et de riz.

CONSEIL
Vous pouvez aussi utiliser des noix de Saint-Jacques surgelées mais assurez-vous de bien les faire dégeler avant utilisation. Égouttez-les et séchez-les bien sur du papier absorbant.

Brochettes de crevettes laquées

Ces délicieuses crevettes tigrées préparées au gril ou au barbecue, sont idéales pour vos déjeuners ou vos repas d'été.

VALEURS NUTRITIONNELLES

Calories 106   Glucides . . . . . .16 g
Protéines . . . . . .11 g   Lipides . . . . .3 g
Acides gras saturés. . . . . .1 g

 15 à 20 min   5 à 6 min

4 personnes

INGRÉDIENTS

1 gousse d'ail, finement émincée

1 piment oiseau, épépiné et émincé

1 cuil. à soupe de pâte de tamarin

1 cuil. à soupe d'huile de sésame et de sauce de soja épaisse

2 cuil. à soupe de jus de citron vert

1 cuil. à soupe de sucre roux

16 grosses crevettes tigrées crues entières

ACCOMPAGNEMENT

pain croustillant

quartiers de citron vert

feuilles de salade

1 Dans une petite casserole, mettre l'ail, le piment, le tamarin, l'huile de sésame, la sauce de soja, le jus de citron vert et le sucre. Laisser cuire à feu doux sans cesser de remuer, jusqu'à ce que le sucre soit dissous. Retirer du feu et laisser le mélange refroidir complètement.

2 Laver et sécher les crevettes et les placer dans un large plat non métallique. Verser la marinade sur les crevettes, en les retournant de manière à ce qu'elles en soient bien enrobées. Couvrir le plat et laisser mariner au moins 2 heures au réfrigérateur ou toute une nuit si possible.

3 Pendant ce temps, faire tremper 4 brochettes en bois ou en bambou 20 minutes dans l'eau chaude. Égoutter et piquer 4 crevettes sur chaque brochette.

4 Faire griller les crevettes 5 à 6 minutes sous un gril préchauffé ou au barbecue, en les retournant une fois, jusqu'à ce qu'elles rosissent et dorent.

5 Piquer un quartier de citron vert à la pointe de chaque brochette et servir accompagné de pain croustillant et de feuilles de salade croquante.

Pommes sautées à la thaïlandaise

De tendres légumes poêlés accompagnés de lait de coco et délicatement épicés.
Une recette aux saveurs aigres-douces typiquement thaïes.

VALEURS NUTRITIONNELLES

Calories . . . . . . .138 Glucides . . . . . . .6 g
Protéines . . . . . . .2 g Lipides . . . . .6 g
Acides gras saturés. . . . . .1 g

 15 à 20 min   15 min

4 personnes

I N G R É D I E N T S

4 pommes de terre à chair ferme, coupées en dés

2 cuil. à soupe d'huile

1 poivron jaune, coupé en dés

1 poivron rouge, coupé en dés

1 carotte, coupée en julienne

1 courgette, coupée en julienne

2 gousses d'ail, hachée

1 piment rouge, émincé

1 botte d'oignons verts

8 cuil. à soupe de lait de coco

1 cuil. à café lemon-grass haché

2 cuil. à café de jus de citron vert

zeste d'un citron vert râpé

1 cuil. à soupe de coriandre fraîche hachée

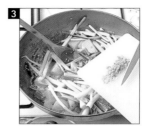

CONSEIL

Ne laissez pas les pommes de terre cuire trop longtemps à l'étape 1 sinon elles s'émietteront une fois transvasées dans le wok.

1 Cuire les pommes de terre 5 minutes dans une casserole d'eau bouillante. Égoutter.

2 Faire chauffer l'huile dans un wok ou une grande poêle. Mettre les pommes de terre, les poivrons, la carotte, la courgette, l'ail et le piment. Faire revenir 2 à 3 minutes.

3 Ajouter les oignons verts coupés en deux, le lait de coco, le lemon-grass et le jus de citron vert. Faire revenir le mélange 5 minutes.

4 Ajouter le zeste de citron vert râpé et la coriandre fraîche à la préparation et faire revenir 1 minute. Servir chaud.

Salade César à la thaïe

Dans cette délicieuse salade, les galettes de riz sont utilisées en guise de croûtons et la sauce de poisson thaïe donne à cette recette une saveur originale.

VALEURS NUTRITIONNELLES

Calories 533   Glucides . . . . . .42 g
Protéines . . . . . . .4 g   Lipides . . . . . . .43 g
Acides gras saturés. . . . . . .5 g

10 à 15 min   2 à 5 min

4 personnes

I N G R É D I E N T S

1 belle laitue romaine, feuilles extérieures enlevées,
   ou 2 cœurs de romaine

4 à 6 grandes galettes de riz
   ou 120 g de mini-galettes de riz

1 petite botte de coriandre, effeuillée

huile, pour la friture

V I N A I G R E T T E

2 ou 3 cuil. à soupe de sauce de poisson thaïe

2 gousses d'ail, grossièrement hachées

80 ml de vinaigre de riz

1 cuil. à soupe de sucre

1 morceau de gingembre frais de 2,5 cm,
   épluché et grossièrement haché

125 ml d'huile de tournesol

sel et poivre

1 Parer la salade, ciseler les feuilles et les mettre dans un grand saladier.

2 Pour faire la vinaigrette, mettre le vinaigre de riz, la sauce de poisson, l'ail, le sucre et le gingembre dans un robot de cuisine et mixer 15 à 30 secondes.

3 Alors que le robot tourne encore, verser progressivement l'huile de tournesol jusqu'à obtention d'un mélange onctueux.

Saler, poivrer et verser le tout dans un pichet. Réserver.

4 Dans une friteuse, faire chauffer environ 7,5 cm d'huile à 190 °C.

5 Pendant ce temps, casser les galettes de riz en morceaux et les plonger une par une dans l'eau pour les ramollir. Disposer les galettes sur un torchon propre et les sécher soigneusement.

6 Plonger les galettes de riz dans l'huile, en plusieurs fois, et les faire frire environ 15 secondes jusqu'à ce qu'elles soient croustillantes et dorées. Les retirer à l'aide d'une écumoire et les laisser égoutter sur du papier absorbant.

7 Ajouter les feuilles de coriandre à la romaine et remuer. Ajouter les galettes de riz frites et arroser de vinaigrette. Bien mélanger et servir immédiatement.

Salade de nouilles aux crevettes

Idéale en entrée ou pour un repas léger, cette recette marie à merveille nouilles de riz et crevettes pour une saveur délicieusement thaïe.

VALEURS NUTRITIONNELLES

Calories	204	Glucides	......37 g
Protéines	......15 g	Lipides	.......3 g
Acides gras saturés.	......1 g		

 10 à 15 min   5 min

4 personnes

INGRÉDIENTS

80 g de vermicelle de riz

175 g de pois mange-tout, coupés en 2 en biais, si nécessaire

5 cuil. à soupe de jus de citron vert

1 cuil. à soupe de sucre, ou selon son goût

1 morceau de gingembre frais de 2,5 cm, épluché et haché

4 cuil. à soupe de sauce de poisson thaïe

1 piment rouge frais, épépiné et finement émincé en biais

4 cuil. à soupe de coriandre ou de menthe fraîche hachée, un peu plus pour la garniture

1 morceau de concombre de 10 cm, épluché, épépiné et coupé en dés

2 oignons verts, finement émincés en biais

16 à 20 grosses crevettes cuites, décortiquées

2 cuil. à soupe de cacahuètes ou de noix de cajou non salées concassées (facultatif)

4 crevettes entières et rondelles de citron, en garniture

CONSEIL

Les nouilles de riz existent en différentes tailles. Veillez à employer des nouilles de riz très fines, appelées vermicelle de riz ou sen mee, sinon la salade risque d'être trop lourde.

1 Mettre le vermicelle de riz dans une grande terrine et ajouter assez d'eau pour les immerger. Laisser tremper environ 4 minutes pour les ramollir. Égoutter et rincer à l'eau froide. Égoutter à nouveau et réserver.

2 Plonger les pois mange-tout dans une casserole d'eau bouillante et, à la reprise de l'ébullition, laisser mijoter 1 minute. Égoutter, rincer à l'eau froide pour refroidir, puis égoutter à nouveau et réserver.

3 Dans une grande terrine, battre le jus de citron vert avec la sauce de poisson, le sucre, le gingembre, le piment et la coriandre ou la menthe. Ajouter le concombre et les oignons verts, puis les nouilles, les pois égouttés et les crevettes. Remuer délicatement.

4 Répartir la salade dans 4 assiettes. Parsemer de coriandre hachée et, éventuellement, de cacahuètes, puis garnir chaque assiette d'une crevette entière et d'une rondelle de citron. Servir immédiatement.

Salade de fruits de mer

Une délicieuse salade de fruits de mer, qui associe moules, crevettes et calmars.
À servir très frais, accompagné d'une sauce épicée.

VALEURS NUTRITIONNELLES

Calories 310   Glucides . . . . . .11 g
Protéines . . . . . .30 g   Lipides . . . . . . .18 g
Acides gras saturés. . . . . .3 g

🦐 20 min   🕐 10 à 15 min

4 personnes

INGRÉDIENTS

450 g de moules fraîches

8 gambas crues

350 g de calmar, nettoyé
et émincé dans la largeur en anneaux

115 g de crevettes roses cuites, décortiquées

½ oignon rouge, finement émincé

½ poivron vert, épépiné et finement émincé

115 g de germes de soja

115 g de chou chinois ciselé

SAUCE

1 gousse d'ail, hachée

1 piment rouge, épépiné et finement haché

2 cuil. à soupe de coriandre fraîche hachée

1 cuil. à café de gingembre frais râpé

1 cuil. à soupe de jus de citron vert

1 cuil. à café de zeste de citron vert finement râpé

1 cuil. à soupe de sauce de soja claire

5 cuil. à soupe d'huile de tournesol ou d'arachide

2 cuil. à café d'huile de sésame

sel et poivre

1 Gratter les coquilles des moules et les ébarber. Mettre dans une grande casserole avec un peu d'eau. Faire cuire 3 à 4 minutes à feu vif, jusqu'à ce que les moules soient ouvertes. Jeter celles qui restent fermées. Égoutter, en réservant le jus de cuisson et rafraîchir les moules sous l'eau froide. Égoutter à nouveau et réserver.

2 Porter le jus de cuisson réservé à ébullition et ajouter les gambas. Laisser mijoter 5 minutes. Ajouter les calmars et cuire 2 minutes. Retirer les fruits de mer et les plonger dans une terrine d'eau froide. Égoutter. Réserver le jus de cuisson.

3 Décoquiller les moules et les mettre dans un saladier avec les gambas, les calmars et les crevettes. Couvrir et réfrigérer 1 heure.

4 Mettre les ingrédients de la sauce, dans un mixeur et mixer jusqu'à obtention d'une pâte homogène. Ajouter les huiles, le jus de cuisson des fruits de mer réservés et 4 cuillerées à soupe d'eau froide. Saler et poivrer. Mixer.

5 Mélanger l'oignon, le poivron rouge, les germes de soja et le chou chinois dans un bol et remuer avec 2 à 3 cuillerées à soupe de sauce. Disposer les légumes sur un plat de service ou un saladier. Mélanger le reste de sauce avec les fruits de mer et ajouter aux légumes. Servir.

Salade de thon et de tomates

Véritable régal pour les yeux, cette salade est idéale en entrée rafraîchissante, pour un déjeuner ou un dîner estival. Vous pouvez préparer la sauce à l'avance.

VALEURS NUTRITIONNELLES

Calories 127   Glucides ...... 10 g
Protéines ...... 13 g   Lipides .... 5 g
Acides gras saturés. ...... 1 g

  20 min   🕐 10 à 15 min

4 personnes

INGRÉDIENTS

50 g de chou chinois, ciselé

3 cuil. à soupe de vin de riz

2 cuil. à soupe de sauce de poisson thaïe

1 cuil. à soupe de gingembre finement râpé

1 gousse d'ail, émincée

½ petit piment oiseau rouge, finement haché

2 cuil. à café de sucre roux

2 cuil. à soupe de jus de citron vert

400 g de steak de thon frais

huile de tournesol, pour graisser

125 g de tomates cerise

menthe fraîche, grossièrement hachée, en garniture

1 Disposer le chou chinois sur un plat de service. Verser le vin de riz, la sauce de poisson, le gingembre, l'ail, le piment, le sucre roux et une cuillerée à soupe de jus de citron vert dans un récipient hermétique et secouer pour mélanger.

2 Couper le thon en tranches régulières. Arroser avec le reste de jus de citron vert.

3 Graisser une grande poêle avec l'huile et faire chauffer jusqu'à ce qu'elle soit brûlante. Déposer le thon dans la poêle et laisser cuire jusqu'à ce qu'il soit ferme et légèrement doré.

4 Placer le thon et les tomates sur le chou chinois et arroser de sauce. Parsemer de feuilles de menthe et servir chaud.

CONSEIL

Pour aller plus vite, utilisez du thon en boîte. Égouttez et émiettez le thon, sautez les étapes 2 et 3 et continuez comme indiqué dans la recette.

Salade de nouilles à la noix de coco

Légère, rafraîchissante et facile à réaliser, cette salade est une excellente recette pour vos repas d'été. Si vous préférez, vous pouvez remplacer la dinde par du poulet.

VALEURS NUTRITIONNELLES

Calories 355   Glucides . . . . . .52 g
Protéines . . . . . .22 g   Lipides . . . . . . .10 g
Acides gras saturés. . . . . .2 g

 15 à 20 min   5 min

4 personnes

INGRÉDIENTS

225 g de nouilles aux œufs

2 cuil. à café d'huile de sésame

1 carotte

100 g de germes de soja

½ concombre

150 g de filets de dinde cuits, coupés en fines lanières

2 oignons verts, émincés

feuilles de basilic hachées
et cacahuètes concassées, pour décorer

SAUCE

5 cuil. à soupe de lait de coco

1 cuil. à soupe de sauce de soja claire

2 cuil. à café de sauce de poisson thaïe

3 cuil. à soupe de jus de citron vert

1 cuil. à café d'huile pimentée

1 cuil. à café de sucre

2 cuil. à soupe de coriandre hachée

2 cuil. à soupe de basilic doux haché

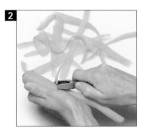

1 Faire cuire les nouilles 4 minutes à l'eau bouillante, ou selon les instructions figurant sur le paquet. Les plonger ensuite dans une terrine d'eau froide pour les refroidir, les égoutter et les arroser d'huile de sésame.

2 À l'aide d'un économe, tailler la carotte en fins rubans. Les faire blanchir avec les germes de soja 30 secondes dans de l'eau bouillante, puis les plonger 30 secondes dans l'eau froide. Toujours à l'aide de l'économe, tailler le concombre en fins rubans.

3 Mélanger les rubans de carotte, les germes de soja et les rubans de concombre avec la dinde, l'oignon vert et les nouilles.

4 Verser tous les ingrédients de la sauce dans un récipient hermétique et agiter pour bien mélanger le tout.

5 Verser la sauce sur la préparation aux nouilles et transférer la préparation dans un plat de service. Parsemer de cacahuètes concassées et de basilic haché. Servir froid.

Riz au jasmin saveur citron

Le riz au jasmin est très parfumé et peut être servi sans aucun accompagnement.
Dans cette recette, il est simplement aromatisé au citron.

VALEURS NUTRITIONNELLES

Calories 384   Glucides . . . . . .86 g
Protéines . . . . . . .7 g   Lipides . . . . .4 g
Acides gras saturés. . . . . . .1 g

 5 min   🕐 20 à 25 min

4 personnes

INGRÉDIENTS

400 g de riz au jasmin

800 ml d'eau

zeste d'un demi-citron, finement râpé

2 cuil. à soupe de basilic frais, haché

1 Rincer plusieurs fois le riz sous l'eau froide jusqu'à ce que l'eau de rinçage soit claire. Porter l'eau à ébullition dans une grande casserole et y verser le riz.

2 Porter de nouveau à ébullition, réduire le feu, couvrir et laisser cuire à feu doux 12 minutes.

3 Retirer la casserole du feu et laisser reposer 10 minutes à couvert.

4 À l'aide d'une fourchette, dissocier les grains de riz et y ajouter le zeste de citron. Servir le tout parsemé de feuilles de basilic hachées.

CONSEIL

Il est important de couvrir la casserole pendant la cuisson du riz, la vapeur le cuira de façon homogène. Les grains de riz seront alors légers et dissociés.

Riz au lait de coco et à l'ananas

Préparer le riz dans le lait de coco le rend très nourrissant. Il sert d'ailleurs de base à de nombreuses recettes thaïes.

VALEURS NUTRITIONNELLES

Calories 278   Glucides ......65 g
Protéines ....5 g   Lipides ....7 g
Acides gras saturés. ......5 g

10 min   20 à 25 min

4 personnes

INGRÉDIENTS

200 g de riz long grain

500 ml de lait de coco

2 tranches d'ananas frais, épluchées
   et coupées en dés

2 cuil. à soupe de copeaux de noix de coco grillés

2 tiges de lemon-grass

225 ml d'eau

sauce de piment, en accompagnement

1 Laver le riz plusieurs fois sous l'eau froide, jusqu'à ce que l'eau de rinçage soit claire. Mettre le riz dans une grande casserole avec le lait de coco.

2 Placer le lemon-grass sur un plan de travail et l'écraser à l'aide d'un maillet ou d'un rouleau à pâtisserie. Ajouter au contenu de la casserole.

3 Ajouter l'eau et porter le tout à ébullition. Réduire le feu, couvrir la casserole hermétiquement et laisser mijoter 15 minutes à feu doux. Retirer du feu et dissocier les grains de riz à l'aide d'une fourchette.

4 Retirer le lemon-grass et ajouter l'ananas en remuant. Parsemer de copeaux de noix de coco grillés et servir accompagné de sauce de piment.

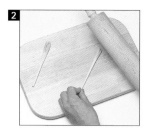

VARIANTE

Préparez une version sucrée en remplaçant le lemon-grass par du sucre de palme ou du sucre en poudre, que vous ajouterez au cours de la cuisson.
Servez en dessert, accompagné de quelques tranches d'ananas supplémentaires.

Légumes à la sauce aux cacahuètes

Un savoureux mélange coloré de légumes associé à une sauce aux cacahuètes délicatement relevée. À servir en accompagnement ou en plat principal.

VALEURS NUTRITIONNELLES

Calories 249   Glucides . . . . . .22 g
Protéines . . . . . .10 g   Lipides . . . . . . .17 g
Acides gras saturés. . . . . .3 g

 15 à 20 min   10 min

4 personnes

INGRÉDIENTS

2 carottes, épluchées

1 petit chou-fleur, paré

2 petits pak-choi, parés

150 g de haricots verts, équeutés

2 cuil. à soupe d'huile

1 gousse d'ail, finement émincée

6 oignons verts, émincés

1 cuil. à café de pâte de piment

2 cuil. à soupe de sauce de soja

2 cuil. à soupe de vin de riz

4 cuil. à soupe de beurre de cacahuètes

3 cuil. à soupe de lait de coco

CONSEIL

Découper les légumes en morceaux de taille égale. Préparez-les tous en même temps avant de les faire cuire. Il est ensuite très important de tenir compte du temps de cuisson de chacun d'eux.

1 Couper les carottes en biais et en fines rondelles. Couper le chou-fleur en fleurettes et les pieds en tronçons fins. Ciseler grossièrement le pak-choi. Couper les haricots en tronçons de 2 cm.

2 Faire chauffer l'huile dans un wok ou une sauteuse et y faire revenir l'ail et les oignons verts environ 1 minute. Incorporer la pâte de piment et laisser cuire quelques secondes.

3 Ajouter les carottes et le chou-fleur et faire revenir 2 à 3 minutes.

4 Ajouter le pak-choi et les haricots, et faire revenir encore 2 minutes. Ajouter la sauce de soja et le vin de riz.

5 Mélanger le beurre de cacahuètes avec le lait de coco, incorporer ce mélange au contenu du wok et laisser cuire encore 1 minute. Servir immédiatement.

Curry rouge de haricots

Une recette accompagnée d'une délicieuse sauce aux piments. Une excellente idée pour servir des haricots frais et leur apporter une touche de couleur.

VALEURS NUTRITIONNELLES

Calories 89   Glucides . . . . . . .9 g
Protéines . . . . . . .2 g   Lipides . . . . .7 g
Acides gras saturés. . . . . .1 g

  10 à 15 min   15 min

4 personnes

I N G R É D I E N T S

400 g de haricots verts, équeutés

1 gousse d'ail, émincée

1 piment oiseau rouge, épépiné et haché

½ cuil. à café de paprika

1 tige de lemon-grass, finement hachée

2 cuil. à soupe de sauce de poisson thaïe

120 ml de lait de coco

1 cuil. à soupe d'huile de tournesol

2 oignons verts, émincés

1 Couper les haricots en tronçons de 5 cm et les faire blanchir 2 minutes à l'eau bouillante. Égoutter soigneusement.

2 Dans un robot de cuisine, mettre l'ail, le piment, le paprika, le lemon-grass, la sauce de poisson et le lait de coco, et mixer jusqu'à obtenir une pâte homogène et lisse.

3 Faire chauffer l'huile dans un wok ou une sauteuse et faire revenir les oignons verts 1 minute à feu vif. Ajouter la pâte à base d'ail et de piment et porter à ébullition.

4 Laisser mijoter 3 à 4 minutes jusqu'à ce que le tout ait réduit de moitié. Ajouter les haricots et laisser mijoter encore 1 à 2 minutes, jusqu'à ce qu'ils soient tendres. Servir chaud.

CONSEIL

Utilisez de jeunes haricots d'Espagne à la place des haricots verts. Retirez les fils puis coupez-les en biais en petits tronçons. Faites-les cuire comme indiqué ici pour qu'ils soient fondants.

Sautés de légumes

Vous pouvez servir ce savoureux mélange de légumes avec des pâtes
ou pour accompagner vos plats de viandes.

VALEURS NUTRITIONNELLES

Calories ....148 Glucides ......21 g
Protéines ....8 g Lipides ....7 g
Acides gras saturés.......1 g

20 min   10 à 15 min

4 personnes

INGRÉDIENTS

1 aubergine

sel

2 cuil. à soupe d'huile

3 gousses d'ail, hachées

4 oignons verts, émincés

1 petit poivron rouge, épépiné émincé

4 mini-épis de maïs, coupés en deux
    dans la longueur

80 g de pois mange-tout

200 g de légumes chinois à la moutarde,
    grossièrement hachés

425 g de champignons de couche chinois en boîte,
    égouttés

125 g de germes de soja

2 cuil. à soupe de vin de riz

2 cuil. à soupe de sauce aux haricots jaunes
    et de sauce de soja épaisse

1 cuil. à café de sauce de piment

125 ml de bouillon de poulet ou de légumes

1 cuil. à café de maïzena et de sucre

2 cuil. à café d'eau

1 Éplucher et couper l'aubergine en julienne de 5 cm de long. Mettre dans une passoire, saler et laisser dégorger 30 minutes. Rincer à l'eau froide et sécher sur du papier absorbant.

2 Chauffer l'huile dans un wok ou une sauteuse et y faire revenir l'ail, l'oignon vert et le poivron 1 minute à feu vif. Ajouter l'aubergine et faire revenir 1 minute, jusqu'à ce qu'elle soit tendre.

3 Ajouter le maïs et les pois et faire revenir 1 minute. Ajouter les légumes à la moutarde, les champignons et les germes de soja et faire revenir 30 secondes.

4 Mélanger le vin de riz avec la sauce de haricots jaune, la sauce de soja, la sauce de piment et le sucre et ajouter avec le bouillon dans le wok ou la sauteuse. Porter à ébullition sans cesser de remuer.

5 Délayer la maïzena dans l'eau jusqu'à obtention d'une pâte bien homogène. Incorporer légumes et laisser cuire encore 1 minute. Servir immédiatement.

Brocolis à la sauce d'huître

La sauce d'huître apporte à cette recette une saveur délicieusement salée qui se marie parfaitement avec les légumes. Vous pouvez remplacer les brocolis par des asperges.

VALEURS NUTRITIONNELLES

Calories 81   Glucides . . . . . . .8 g
Protéines . . . . . . .5 g   Lipides . . . . .4 g
Acides gras saturés. . . . . . .1 g

 15 min   5 à 10 min

4 personnes

I N G R É D I E N T S

400 g de brocolis

1 cuil. à soupe d'huile d'arachide

2 échalotes, finement émincées

1 gousse d'ail, finement émincée

1 cuil. à soupe de vin de riz ou de xérès

¼ de cuil. à café de poivre noir moulu

1 cuil. à café d'huile pimentée

5 cuil. à soupe de sauce d'huître

1 Parer les brocolis et les couper en fleurettes. Les faire blanchir 30 secondes dans de l'eau bouillante, puis les égoutter soigneusement.

2 Faire chauffer l'huile dans un wok ou une sauteuse et y faire revenir les échalotes et l'ail 1 à 2 minutes, jusqu'à ce qu'ils soient bien dorés.

3 Ajouter les brocolis et faire revenir 2 minutes. Ajouter le vin de riz et la sauce d'huître et faire cuire encore 1 minute, sans cesser de remuer.

4 Ajouter le poivre et arroser d'un peu d'huile pimentée juste avant de servir.

CONSEIL

Pour de l'huile pimentée, placez des piments rouges et verts dans un récipient en verre et remplissez-le d'huile d'olive ou d'huile végétale légère. Couvrez et laisser mariner 3 semaines minimum avant utilisation.

Curry de noix de cajou épicé

Vous pouvez servir cette délicieuse recette originale accompagnée de légumes, de viande en sauce et de riz.

VALEURS NUTRITIONNELLES

Calories . . . . . . .455 Glucides . . . . . .22 g
Protéines . . . . . .13 g Lipides . . . . . . .39 g
Acides gras saturés. . . . . . .11 g

 10 à 15 min 25 à 30 min

4 personnes

I N G R É D I E N T S

250 g de noix de cajou non salées

1 cuil. à café de graines de coriandre

1 cuil. à café de graines de cumin

2 gousses de cardamome, écrasées

1 cuil. à soupe d'huile de tournesol

1 oignon, finement émincé

1 gousse d'ail, hachée

1 petit piment vert, épépiné et coupé en morceaux

1 bâton de cannelle

½ cuil. à café de curcuma

4 cuil. à soupe de crème de coco

300 ml de bouillon de légumes chaud

3 feuilles de lime, finement ciselées

sel et poivre

riz au jasmin, en accompagnement

CONSEIL

Les épices donnent le meilleur d'elles-mêmes lorsqu'elles sont fraîchement pilées mais vous pouvez utiliser des épices en poudre si vous préférez.

1 Faire tremper les noix de cajou toute une nuit dans l'eau froide. Égoutter soigneusement. Dans un mortier, piler les graines de cumin et de coriandre avec les gousses de cardamome.

2 Faire chauffer l'huile dans une poêle et faire revenir l'oignon et l'ail 2 à 3 minutes, jusqu'à ce qu'ils soient tendres, mais sans les laisser roussir. Ajouter le piment, les épices pilées, le bâton de cannelle, le curcuma et faire revenir encore 1 minute.

3 Ajouter la crème de coco et le bouillon chaud. Porter à ébullition puis ajouter les noix de cajou et les feuilles de lime.

4 Couvrir la poêle, réduire le feu et laisser mijoter environ 20 minutes. Servir accompagné de riz au jasmin.

Curry de pommes de terre

Les pommes de terre ne sont pas souvent utilisées dans la cuisine thaïe, mais cette délicieuse recette est l'exception qui confirme la règle !

VALEURS NUTRITIONNELLES

Calories 160   Glucides ......19 g
Protéines ....3 g   Lipides ....10 g
Acides gras saturés. ......1 g

  10 à 15 min   20 à 25 min

4 personnes

INGRÉDIENTS

2 gousses d'ail, finement émincées

1 morceau de 3 cm de galanga, finement râpé

1 tige de lemon-grass, hachée

1 cuil. à café de graines de coriandre

3 cuil. à soupe d'huile

2 cuil. à café de pâte de curry rouge

½ cuil. à café de curcuma

200 ml de lait de coco

250 g de pommes de terre, épluchées et coupées en cubes de 2 cm

100 ml de bouillon de légumes

360 g de pousses d'épinards

1 petit oignon, coupé en anneaux fins

1 Dans un mortier, piler l'ail, le galanga, le lemon-grass et les graines de coriandre, jusqu'à obtenir une pâte lisse.

2 Faire chauffer 2 cuillerées à soupe d'huile dans un wok ou une sauteuse et y faire revenir la pâte préalablement obtenue 30 secondes. Ajouter la pâte de curry, le curcuma et le lait de coco, et porter à ébullition.

3 Ajouter les pommes de terre et le bouillon. Porter de nouveau à ébullition, réduire le feu et laisser mijoter 10 à 12 minutes à découvert, jusqu'à ce que les pommes de terre soient presque tendres.

4 Ajouter les épinards et laisser cuire jusqu'à ce que les feuilles soient flétries.

5 Faire frire l'oignon dans le reste d'huile jusqu'à ce qu'il soit croustillant et bien doré, disposer sur les légumes et servir immédiatement.

CONSEIL

Choisissez une variété de pomme de terre ferme, qui tient à la cuisson, plutôt qu'une variété farineuse qui se déferait facilement.

Tofu croustillant à la sauce de soja

D'appétissants cubes de tofu dorés associés aux couleurs des légumes et relevés d'une sauce pimentée, font de cette recette un accompagnement pour tous vos plats.

VALEURS NUTRITIONNELLES

Calories 149   Glucides . . . . . .19 g
Protéines . . . . . . .8 g   Lipides . . . . .9 g
Acides gras saturés. . . . . . .1 g

 20 min   10 à 15 min

4 personnes

I N G R É D I E N T S

300 g de tofu ferme

2 cuil. à soupe d'huile

1 gousse d'ail, émincée

½ poivron vert, épépiné et coupé en julienne

1 piment oiseau rouge, épépiné et haché

1 carotte, coupée en julienne

2 cuil. à soupe de sauce de soja

1 cuil. à soupe de jus de citron vert

1 cuil. à soupe de sauce de poisson thaïe

1 cuil. à soupe de sucre roux

rondelles d'ail au vinaigre, en accompagnement (facultatif)

1 Égoutter le tofu et le sécher avec du papier absorbant. Le couper en cubes de 2 cm.

CONSEIL

Pour cette recette, il est impératif d'employer du tofu ferme. En effet, la variété la plus tendre, ne pourrait pas conserver sa forme lors de la cuisson. Elle est en général réservée aux soupes.

2 Faire chauffer l'huile dans un wok ou une sauteuse et y faire revenir l'ail 1 minute. Retirer l'ail et mettre le tofu. Faire frire, en remuant délicatement, jusqu'à ce que toutes les faces soient bien dorées.

3 Retirer le tofu du wok ou de la sauteuse, égoutter et réserver au chaud. Faire revenir la carotte et le poivron vert 1 minute dans le wok ou la sauteuse sans cesser de remuer.

4 Disposer le tofu au centre d'un plat de service et mettre la carotte et le poivron autour.

5 Bien mélanger le piment, la sauce de soja, le jus de citron vert, la sauce de poisson et le sucre dans une terrine, jusqu'à ce que le sucre soit dissous.

6 Verser la sauce sur le tofu, garnir d'ail au vinaigre et servir immédiatement.

Mangues au sirop de lemon-grass

Un délicieux dessert au goût très frais et facile à préparer. Servez la mangue légèrement rafraîchie.

VALEURS NUTRITIONNELLES

Calories 117   Glucides . . . . . .60 g
Protéines . . . . . . .1 g   Lipides . . . . .0 g
Acides gras saturés. . . . . .0 g

15 min   5 min

4 personnes

INGRÉDIENTS

2 grosses mangues mûres

1 citron vert

1 tige de lemon-grass, hachée

3 cuil. à soupe de sucre en poudre

1 Couper les mangues en deux, retirer le noyau et la peau.

2 Couper la pulpe en longues tranches fines et les disposer sur un plat de service en une seule couche.

3 Découper quelques zestes de citron vert pour la décoration, puis couper le citron vert en deux et le presser.

4 Mettre le jus de citron vert dans une petite casserole avec le lemon-grass et le sucre. Faire chauffer à feu doux sans laisser bouillir, jusqu'à ce que le sucre soit complètement dissous. Retirer du feu et laisser refroidir le sirop complètement.

5 Filtrer le sirop au chinois et le verser sur les mangues.

6 Parsemer de zeste de citron vert, couvrir de film alimentaire et réfrigérer avant de servir frais.

CONSEIL

Si vous servez ce plat un jour de grande chaleur, et en particulier s'il doit rester un long moment sur la table, mettez le plat sur un lit de glace pilée afin de le garder frais.

Salade de fruits exotiques

Véritable régal pour les yeux, cette salade exotique est délicatement parfumée de thé au jasmin et de gingembre. À servir frais.

VALEURS NUTRITIONNELLES

Calories	65	Glucides	. . . . . .32 g
Protéines	. . . . . . .1 g	Lipides	. . . . . . .0 g
Acides gras saturés.	. . . . . .0 g		

  15 à 20 min 0 min

6 personnes

INGRÉDIENTS

1 cuil. à café de thé au jasmin

1 cuil. à café de gingembre râpé

zeste et jus d'un citron vert

125 ml d'eau bouillante

2 cuil. à soupe de sucre en poudre

1 papaye

1 mangue

½ petit ananas

1 carambole

2 fruits de la passion

1 Mettre le thé, le gingembre et le zeste de citron dans une jatte résistante à la chaleur et verser l'eau bouillante. Laisser infuser 5 minutes et filtrer.

2 Ajouter le sucre en poudre au thé et mélanger jusqu'à ce que le sucre soit entièrement dissous. Laisser refroidir complètement le sirop.

3 Couper la papaye en deux, en retirer les graines et la peau. Parer de la même manière la mangue et l'ananas. Couper tous les fruits en petits morceaux à l'exception de la carambole.

4 Couper la carambole de manière à obtenir des étoiles. Placer tous les fruits dans une jatte et napper de sirop. Couvrir de film alimentaire et réfrigérer 1 heure.

5 Couper le fruit de la passion en deux, retirer les graines, enlever la pulpe à l'aide d'une cuillère et mélanger avec le jus de citron vert. Verser sur la salade de fruits et servir immédiatement.

CONSEIL

Les caramboles n'ont pas beaucoup de saveur lorsqu'elles sont encore vertes, mais une fois mûres, elles deviennent jaunes et très parfumées. Souvent, à ce moment-là, l'extrémité des côtes a tourné au brun, il faut donc les retirer avant de les couper en tranches. Pour ce faire, la méthode la plus simple et la plus rapide consiste à utiliser un économe.

Granité à la rose

Bien plus original que la traditionnelle crème glacée, ce granité délicatement parfumé est décoré de pétales de rose.

VALEURS NUTRITIONNELLES

Calories 76   Glucides ......18 g
Protéines ....2 g   Lipides ....4 g
Acides gras saturés. ......3 g

 15 à 20 min   5 min

4 personnes

INGRÉDIENTS

400 ml d'eau

2 cuil. à soupe de crème de coco

4 cuil. à soupe de lait concentré

quelques gouttes de colorant alimentaire rose (facultatif)

2 cuil. à café d'eau de rose

pétales de rose (de fleur non traitée), pour décorer

1 Mettre l'eau et la crème de coco dans une petite casserole et faire chauffer à feu doux, sans laisser bouillir, jusqu'à ce que la crème de coco soit dissoute.

2 Retirer du feu et laisser refroidir. Incorporer le lait concentré, l'eau de rose et le colorant alimentaire.

3 Placer cette préparation dans une sorbetière et mettre au congélateur

1 heure à 1 h 30 jusqu'à ce qu'elle prenne une consistance de glace fondue.

4 Retirer du congélateur et battre à la fourchette pour briser les cristaux. Remettre au congélateur jusqu'à ce que la préparation soit ferme.

5 Disposer le granité à la cuillère sur un plat de service et décorer de pétales de rose.

CONSEIL

Pour empêcher la glace de fondre trop rapidement à table, posez le plat sur un récipient rempli de glace pilée.

Sorbet aux litchis et au gingembre

Ce délicieux sorbet est facile à préparer et peut être servi seul ou avec une salade de fruits. Un dessert idéal après un repas copieux.

VALEURS NUTRITIONNELLES

Calories ....159 Glucides ......80 g
Protéines ....2 g Lipides ....0 g
Acides gras saturés. ......0 g

15 à 20 min   0 min

4 personnes

INGRÉDIENTS

2 boîtes de 400 g de litchis au sirop

zeste râpé d'un citron vert

2 blancs d'œufs

2 cuil. à soupe de jus de citron vert

3 cuil. à soupe de sirop de gingembre confit

DÉCORATION

tranches de carambole

morceaux de gingembre confit

1 Égoutter les litchis en réservant le sirop. Mettre les fruits avec le zeste et le jus de citron vert et le sirop de gingembre confit dans un robot de cuisine. Mixer jusqu'à obtention d'un mélange homogène.

2 Mélanger la préparation obtenue avec le sirop des litchis et verser le tout dans un récipient supportant le congélateur ou une sorbetière et placer 1 heure à 1 h 30 au congélateur jusqu'à ce que le sorbet commence à prendre.

3 Retirer du congélateur et battre le mélange afin de briser les cristaux. Dans une jatte à part, battre les blancs d'œufs en neige ferme et les incorporer délicatement au sorbet.

4 Replacer au congélateur jusqu'à ce que le sorbet soit ferme. Servir les boules de sorbet décorées de tranches de carambole et de morceaux de gingembre.

CONSEIL

Les blancs d'œufs crus ne sont pas recommandés aux jeunes enfants, aux femmes enceintes, aux personnes âgées et aux personnes malades. Ils peuvent être supprimés de cette recette, mais il faudra fouetter le sorbet une seconde fois, après 1 heure supplémentaire de congélation pour que sa texture soit légère.

Ananas à la cardamome

Les ananas thaïs sont sucrés et très parfumés et constituent un excellent dessert. Servez-les frais et joliment découpés.

VALEURS NUTRITIONNELLES

Calories 93   Glucides . . . . . .46 g
Protéines . . . . . . .1 g   Lipides . . . . .0 g
Acides gras saturés. . . . . .0 g

10 à 15 min   5 min

4 personnes

INGRÉDIENTS

1 ananas

2 gousses de cardamome

zeste d'un citron vert

1 cuil. à soupe de sucre roux

3 cuil. à soupe de jus de citron vert

DÉCORATION

feuilles de menthe fraîche

crème fouettée

1 Couper la base et le sommet de l'ananas, retirer la peau et les « yeux » de la chair. Le couper en quatre et retirer le cœur. Le couper en tranches dans le sens de la hauteur.

2 Dans un mortier, piler les gousses de cardamome et les mettre dans une casserole avec le zeste de citron vert et 4 cuillerées à soupe d'eau. Faire chauffer jusqu'à ébullition, puis laisser frémir 30 secondes.

3 Retirer du feu et ajouter le sucre, couvrir et laisser infuser 5 minutes.

4 Remuer jusqu'à ce que le sucre soit dissous. Ajouter le jus de citron vert et filtrer le sirop au chinois sur l'ananas. Laisser refroidir 30 minutes.

5 Dresser l'ananas sur un plat de service, arroser de sirop, décorer de feuilles de menthe et de crème fouettée et servir.

CONSEIL

Pour retirer les « yeux » dans la chair de l'ananas, enlever d'abord la peau puis, à l'aide d'un couteau tranchant, creusez de petits canaux en V, en taillant la chair en biais pour que les canaux dessinent une spirale autour du fruit et ainsi éliminent les yeux.

Bananes au lait de coco

La cuisine thaïe associe souvent les fruits et les légumes. D'ailleurs, cette délicieuse recette marie les bananes et les haricots mungo.

VALEURS NUTRITIONNELLES

Calories 157   Glucides . . . . . .74 g
Protéines . . . . . . .2 g   Lipides . . . . .1 g
Acides gras saturés. . . . . . .0 g

 10 min   5 min

4 personnes

INGRÉDIENTS

4 grosses bananes

350 ml de lait de coco

2 cuil. à soupe de sucre en poudre

½ cuil. à café d'eau de fleur d'oranger

1 cuil. à soupe de menthe fraîche hachée, pour décorer

2 cuil. à soupe de haricots mungo cuits

1 pincée de sel

1 Peler les bananes et les couper en petits tronçons. Mettre dans une grande casserole avec le lait de coco, le sucre en poudre et le sel.

2 Faire chauffer cette préparation à feu doux et laisser cuire 1 minute. Retirer du feu.

3 Arroser d'eau de fleur d'oranger, ajouter la menthe et verser le tout dans un plat de service.

4 Pendant ce temps, placer les haricots mungo dans une poêle à fond épais et faire cuire à feu vif, jusqu'à ce qu'ils soient croquants et dorés, en secouant la poêle de temps en temps. Retirer et piler légèrement dans un mortier.

5 Parsemer les bananes de haricots grillés, décorer de menthe fraîche hachée et servir chaud ou froid, selon son goût.

CONSEIL

Vous pouvez remplacer les haricots mungo par des noisettes ou des amandes effilées et grillées.

Gâteaux de riz à la thaïlandaise

Ces gâteaux de riz crémeux et délicatement parfumés sont délicieux nappés de crème à la noix de coco. Servez-les chauds ou patientez un jour avant de les déguster.

VALEURS NUTRITIONNELLES

Calories . . . . .351 Glucides . . . . . .53 g
Protéines . . . . . . .7 g Lipides . . . . . . .21 g
Acides gras saturés. . . . . . .16 g

20 min   1 h 30

4 personnes

I N G R É D I E N T S

100 g de riz rond

2 cuil. à soupe de sucre de palme ou de sucre roux

1 gousse de cardamome, coupée en deux

300 ml de lait de coco

150 ml d'eau

3 œufs moyens

1 cuil. à soupe ½ de sucre en poudre

200 ml de crème de coco

fruits frais, en accompagnement

copeaux de noix de coco sucrés, pour décorer

1 Mettre le riz et le sucre de palme dans une casserole. Dans un mortier, piler la gousse de cardamome et ajouter à la casserole avec le lait de coco et l'eau.

2 Porter à ébullition, sans cesser de remuer pour faire fondre le sucre. Réduire le feu et laisser mijoter 20 minutes à découvert, sans cesser de remuer, jusqu'à ce que le riz soit tendre et que le liquide soit presque entièrement évaporé.

3 Répartir le riz dans quatre moules individuels. Placer les moules dans un grand plat à rôtir à moitié rempli d'eau.

4 Battre les œufs avec la crème de coco et le sucre en poudre, et verser ce mélange sur le riz. Couvrir de papier d'aluminium et faire chauffer 40 à 45 minutes, à 180 °C (th. 6) au four préchauffé, jusqu'à ce que les gâteaux soient cuits.

5 Servir les gâteaux de riz tièdes ou froids, accompagnés de fruits frais et décorés de copeaux de noix de coco.

CONSEIL

La cardamome est une épice au goût puissant. Si vous la trouvez trop forte, vous pouvez la supprimer de la recette ou la remplacer par un peu de cannelle.

Réalisation : InTexte Édition

ISBN 1-40543-317-5

Imprimé en Chine

Note
Une cuillerée à soupe correspond à 15 à 20 g d'ingrédients secs et à 15 ml d'ingrédients liquides.
Une cuillerée à café correspond à 3 à 5 g d'ingrédients secs et à 5 ml d'ingrédients liquides.
Sans autre précision, le lait est entier et les œufs sont de taille moyenne.

Les valeurs nutritionnelles données pour chaque recette s'entendent pour une personne. Les ingrédients
facultatifs, les variantes ou les suggestions de garniture ne sont pas compris dans ces valeurs.
Les temps de préparation et de cuisson des recettes pouvant varier en fonction,
notamment, du four utilisé, ils sont donnés à titre indicatif.

La consommation des œufs crus ou peu cuits
n'est pas recommandée aux enfants, aux personnes âgées,
malades, ou convalescentes et aux femmes enceintes.